Le racisme
expliqué à ma fille

Tahar Ben Jelloun

Le racisme expliqué à ma fille

PRÉFACE INÉDITE

Éditions du Seuil

La première édition de ce livre a paru en janvier 1998.
Il a été modifié par la suite à plusieurs reprises
(en 1999, 2004, 2009 et 2018).
La présente édition est augmentée d'une préface inédite.

ISBN 978-2-7578-8816-2
(ISBN 978-2-02-033516-4, 1ʳᵉ publication)

à Mérième

Vingt ans après, le racisme se porte bien

Mérième,

Il ne faut rien oublier, rien occulter, rien négliger.

Le racisme est un fait, ce n'est pas un accident ou une bavure de l'histoire.

Le racisme est là où prospère l'homme,

Là où les sentiments se confrontent et se font la guerre.

Sentiment de supériorité

Sentiment de puissance qui autorise l'homme à mépriser d'autres hommes qui ne lui ont pourtant rien fait

Sentiment d'être autorisé à porter des jugements sur des différences que l'homme traite comme autant de signes d'inégalité

Sentiment de se sentir plein de pouvoir parce que plein d'or et d'argent.

Il ne faut rien oublier

L'homme n'est pas un loup pour l'homme

N'accablons point les pauvres animaux qui ne se font jamais la guerre

Mais l'homme est simplement un homme pour l'homme.

C'est son meilleur ennemi

C'est la guerre qu'il préfère, celle qui annihile d'autres hommes

Celle qui humilie et fait table rase

Celle qui détruit le foyer et les jardins

Celle qui piétine l'innocence des enfants et des vieilles personnes.

Le racisme, ma fille, colle à la peau de l'homme où qu'il se trouve

Même sur une île déserte cet homme trouvera qui haïr, qui mépriser, qui humilier

Haïr pour exister, pour se sentir vivant

Il pourrait aimer

Mais l'amour n'est pas chose aisée

Il faut mériter l'amour

Il faut le séduire, l'arracher à la nuit et aux ombres cachées derrière les sourires.

Ma fille, tu as bien compris que tout est dans l'éducation, cette pédagogie du quotidien

Cette obstination à inculquer des valeurs à l'enfance et à lui apprendre à les respecter.

Le respect n'est pas autre chose qu'une

humilité grandiose qui fait que l'humanité prend sens

Le respect, c'est aller vers les autres, qu'ils soient en danger ou dans la pauvreté et le besoin, et leur tendre la main

Le respect, c'est considérer que nous sommes tous différents et pourtant semblables

Qu'un homme vaut un autre homme quels que soient sa taille, sa couleur de peau, la langue qu'il parle, la foi qui l'habite, le doute qu'il cultive, le désir qu'il poursuit, le travail qu'il effectue, la folie qu'il brandit ou la sagesse qu'il place au-dessus de tout.

Le respect, ma fille, est le devoir de tout être

Parce que nous avons tous besoin d'être respectés pour vivre et entreprendre des choses qui font honneur à l'humanité.

Ô ma fille, je t'ai souvent parlé de tes grands-parents, de leur imaginaire, de leur univers, et tu as aimé ce qu'ils représentent en ce monde où les biens matériels ont évincé les valeurs qui ne se mesurent pas avec des choses.

Les gens ont tellement besoin de posséder, sont tellement obsédés par l'avoir quand ils ont oublié d'être, être présents au monde et aux autres.

Tu es née en France et tu as connu le pays natal de tes parents

Pour toi le Maroc est une autre partie de ta mémoire, celle que tu as héritée de tes parents.

Tu as vu la différence des modes de vie et, tout de suite, tu as été horrifiée par la condition faite aux femmes et par le racisme déployé contre les Africains noirs, ces personnes venues de l'Afrique subsaharienne et qui tentent de rejoindre l'Europe pour connaître des jours meilleurs.

Tu as vu tant de choses dans tes voyages et tu as appris qu'aller vers d'autres horizons, visiter d'autres pays et d'autres cultures fait reculer le racisme qui, lui, est fondé principalement sur l'ignorance, la peur de l'inconnu et la haine qu'inspire telle ou telle religion.

Voilà pourquoi, ma fille, je m'adresse aujourd'hui à toi, parce que tu as grandi avec ce petit livre qui a été étudié par des millions d'enfants dans le monde. Aujourd'hui, plus que jamais, la vigilance et la lutte contre ce fléau qu'est le racisme sont nécessaires.

Il ne faut rien oublier,

Rien occulter,

Rien négliger.

Vigilante et vaillante, tu es et le seras, je le sais, tant que le racisme menacera la vie des citoyens, les proches et les lointains, les connus et les inconnus, bref, tant qu'il mettra en péril la paix sur notre planète.

Il y a vingt ans, tu avais dix ans. Tu te souviens de la manifestation en soutien aux sans-papiers où je t'avais emmenée ? On avait rendez-vous à 14 heures devant la gare de l'Est. Il y avait beaucoup de monde. C'était l'époque où les Français, mais aussi les résidents étrangers, manifestaient souvent et en grand nombre. Je te rappelle cela parce que aujourd'hui rares sont devenus les citoyens qui descendent dans la rue pour défendre les immigrés ou les étrangers sans papiers.

En bon père, je voulais que tu sois très tôt initiée aux réflexes de défense des valeurs que je t'avais inculquées, comme les droits de l'homme, la lutte pour l'égalité et la justice, etc. Nous étions ensemble et j'étais fier de toi. Mais tu me posais tout le temps des questions. Curieuse, tu voulais savoir pourquoi exactement nous étions là. Tu avais raison de m'interroger, mais moi, je trouvais que le moment n'était pas bien choisi pour te répondre. Ça t'énervait, et moi j'essayais de détourner la conversation. À un certain moment, j'ai senti que je ne pouvais plus esquiver tes questions. Je t'ai dit : « Bon, en rentrant ce soir, on va travailler ensemble. » Le mot « travailler » ne t'a pas plu. J'ai rectifié : « Je vais répondre sérieusement à toutes les questions que tu te poses, et que se posent tous les enfants de ton âge qui se demandent d'où vient le racisme, pourquoi il existe, et comment lutter contre lui.»

Le soir même, tu as formulé tes questions et je t'ai répondu, mais j'ai senti que tu n'étais pas satisfaite. Il m'aurait fallu utiliser des mots plus simples, compréhensibles par les enfants de ton âge. Alors, je t'ai demandé de formuler tes questions par écrit. Le lendemain, tu es venue avec ta meilleure amie et tu m'as remis deux pages pleines. À partir de là, j'ai entamé un travail pédagogique tout en gardant un œil sur tes questions posées dans le désordre.

Au bout de six mois, j'avais écrit une soixantaine de pages. Je te les ai données à lire. Tu as mis du temps à te décider à les parcourir. En fait, nous les avons lues ensemble. Souvent tu as réagi quand telle phrase ou telle expression te paraissaient trop compliquées ou confuses. J'ai tenu compte de tes remarques. J'ai soumis ensuite le texte au professeur Albert Jacquard, qui avait écrit des livres remarquables sur la façon dont certaines différences avaient été transformées par la société en inégalités.

Avant d'être publié, le petit livre a circulé entre plusieurs mains : des enseignants, des historiens, des amis – et enfin mon éditeur. Ce fut Françoise Peyrot, une des directrices des Éditions du Seuil, qui a eu l'idée du titre. Elle m'a dit : «Tu expliques le racisme à Mérième, alors, il faut que les parents éprouvent le même besoin que toi d'expliquer le racisme à leurs enfants. On va l'intituler *Le Racisme expliqué à ma fille*.»

Contente d'avoir participé à ce travail, tu as vite pris tes distances, je crois même que cette histoire te gênait un peu. Question de pudeur, peut-être. Le fait que tu apparaisses, de profil, sur la photo de la couverture ne te plaisait pas. Pourtant c'était une belle photo du grand photographe Bruno Barbey !

À la sortie du livre, tu étais ailleurs. Je me souviens que le grand boum médiatique t'a mise mal à l'aise. Le Seuil vendait plusieurs milliers d'exemplaires par jour. Ce petit livre a eu un succès extraordinaire, comme si les Français découvraient, grâce à ce travail réalisé avec toi, l'existence du racisme dans leur société. Le livre est resté plus d'une année numéro 1 dans la liste des meilleures ventes de *L'Express*. Des traductions ont été réalisées dans une quarantaine de langues. Il a même été traduit en espéranto ! Le *New York Times* lui a consacré les trois quarts d'une page. L'Allemagne en a fait aussi une édition audio. Son lancement a été assuré à Berlin par le ministre de l'Intérieur en personne. Les Nations unies lui ont décerné un prix lié à la Tolérance. Le secrétaire général de l'ONU, Kofi Annan, s'était même engagé à me le remettre lui-même à New York. Comme il eut un empêchement, ce fut son épouse qui présida à la cérémonie dans l'enceinte de la grande maison de verre. Ici et là, des journalistes m'interrogeaient sur toi. Je ne t'en parlais pas, sachant que cela te mettrait en colère. Tu vois, chère Mérième, l'immense écho que ce livre a recueilli de par le monde. En Italie, il a eu le même succès qu'en France. Il y a reçu plusieurs récompenses. Et tu te souviens ? Tu es allée toi-même à Turin recevoir un prix. J'ai une photo de toi entourée de Maurice Béjart et de Roman Polanski. Tu n'avais même pas onze ans, et tu étais déjà célèbre ! Mais toi, tu ne voulais pas de cette célébrité. Tu m'as accompagné aussi une fois en Allemagne où le livre avait reçu un prix. Nous en avons profité pour faire un peu de tourisme et marcher dans les grandes avenues de Berlin réunifié.

À partir d'un certain moment, le livre m'a échappé : on a commencé à l'étudier dans des établissements scolaires. J'ai participé à des centaines de rencontres dans les écoles, au sein d'associations de lutte contre le racisme, dans les médias, et partout les mêmes questions, partout la même inquiétude, parce qu'il n'existe pas de société dont le racisme serait totalement absent. J'étais devenu celui qui explique ce fléau universel. Je me souviens de ma visite en Afrique du Sud, dans une école de Durban où sévissait un racisme entre minorités, entre Indiens et Africains. J'ai retrouvé les mêmes peurs, les mêmes préjugés à Sarajevo entre des enfants croates, serbes, bosniaques... Il en a été de même dans une école expérimentale de coexistence entre écoliers palestiniens et juifs. Partout la peur, partout la haine souterraine. L'Inde est un pays démocratique, mais le racisme y est institué de manière quasi officielle. Difficile d'aborder ce sujet avec certains Indiens. Tu m'avais demandé un jour si les Marocains étaient racistes. Ta question m'a pris par surprise, d'autant plus que les Marocains ne se considèrent pas du tout comme racistes. Pour eux, les racistes, ce sont les autres. Pourtant, le racisme anti-Noir est très répandu dans toutes les classes, l'anti-sémitisme s'est développé à partir du moment où des Juifs marocains sont partis en Israël. Je te disais : « Pourquoi les Marocains feraient-ils exception ? On y trouve les mêmes tares qu'ailleurs, dans le reste du monde. »

Durant ces vingt dernières années, tu as assisté à la progression du Front national – qui est arrivé par deux fois en finale de l'élection présidentielle (2002, Chirac contre Jean-Marie Le Pen ; 2017, Macron contre Marine Le Pen). Ces deux décennies ont été marquées en Europe par une progression analogue en Autriche, en Allemagne, en Italie, en Belgique, aux Pays-Bas. Des partis d'extrême droite ont pu, démocratiquement, s'assurer des voix en quantité suffisante pour se rapprocher sérieusement du pouvoir.

Pourquoi et comment en est-on arrivé là ?

Sans agiter le chiffon rouge de l'immigration, pilier du discours du FN (rebaptisé le Rassemblement national en 2018) depuis toujours, et la peur de l'islam, ces partis n'auraient pas pu obtenir autant de voix aux différentes élections.

La peur est un levier qui fonctionne très bien. Faire peur aux électeurs, leur fournir des éléments qui nourrissent leurs inquiétudes est une méthode efficace, et peu importe que ce discours soit fondé sur des données fausses ou approximatives.

Partout en Europe, l'extrême droite confond à dessein l'immigration avec les fils d'immigrés. Les uns sont venus d'ailleurs, les autres sont nés sur le sol européen et devraient être considérés comme des citoyens européens. Or, ces enfants d'origine immigrée ne sont pas reconnus et ont été abandonnés par pratiquement tous les gouvernements, qu'ils soient de gauche ou de droite. Et c'est parmi ces jeunes gens que le terrorisme au nom de l'islam (mal lu, mal interprété) recrute nombre de tueurs qui, sous l'effet d'une propagande efficace, ont échangé leur instinct de vie (commun à tout être humain) contre l'instinct de mort, une mort désirée, imposée aux autres comme à soi.

J'ai pris l'exemple de la France pour expliquer ce comportement universel de l'homme. C'est que la France, il faut le reconnaître, a de tout temps été une nation où les discriminations sont particulièrement importantes. L'antisémitisme a longtemps été le racisme le plus meurtrier et il a divisé le pays pendant plusieurs décennies. C'est en France, tu le sais, qu'a eu lieu l'affaire Dreyfus, du nom de cet officier de l'armée française qui avait été accusé de trahison parce qu'il était juif. Il aura fallu le cri de colère d'Émile Zola dans le journal *L'Aurore*, ce fameux article intitulé «J'accuse…!», pour que l'innocence de cet officier puisse être reconnue.

Mais durant la Seconde Guerre mondiale, c'est la police française qui arrêtera, les 16 et 17 juillet 1942, à Paris, les Juifs d'origine étrangère et les enverra dans les camps d'extermination nazis. C'est ce que l'on a appelé «la rafle du Vél'd'Hiv» (Vélodrome d'Hiver) : 13 152 Juifs, dont 4 115 enfants, ont péri dans ces camps.

Le racisme a toujours eu des adeptes et des cibles.

Par la suite, un racisme anti-immigrés polonais, italiens, espagnols a sévi dans la société française. Après la décolonisation, à la suite des guerres de libération, notamment celle d'Algérie, le racisme anti-maghrébin s'est banalisé. Le racisme anti-arabe en général a pris son essor après la première crise pétrolière de 1973.

Le regroupement familial, décidé par le président de la République Valéry Giscard d'Estaing en 1975, aura pour conséquence la naissance d'une nouvelle génération de Français d'origine immigrée. Cette «deuxième génération» a connu des périodes difficiles : souvent mal ou pas intégrés, parce que non reconnus, certains jeunes ont versé dans la délinquance et la rébellion contre une société qui ne leur avait pas donné toutes leurs chances. Les parents dépassés ont alors assisté, impuissants, aux dérives de leurs enfants dont certains étaient en échec scolaire ou fuguaient vers l'aventure.

Les prisons françaises sont remplies à plus de 70 % de jeunes Français d'origine maghrébine qui ont commis de petits délits. *The Telegraph* du 17 janvier 2015 écrit : «Parmi les 67 500 personnes en prison en France, on estime que 70 % sont des musulmans, alors que ces derniers ne représentent que 8 % de la population.» Or, c'est dans ces prisons que ces jeunes rencontrent l'islam et la radicalité. Les premiers intégristes musulmans en sortaient.

L'islam apparaît alors comme une réponse identitaire à un État qui a oublié de s'occuper de certaines populations dont il avait pourtant la charge.

Avec les premiers attentats au nom de l'islam, que ce soit sous la bannière d'Al-Qaïda ou celle de l'«État islamique», Daech, attentats commis aux États-Unis et en Europe, le refus de l'islam a très vite dérivé vers l'expression d'un nouveau racisme appelé «islamophobie», expression de haine de l'islam et des musulmans. Cette haine est exacerbée par le terrorisme, dont le racisme envers les Occidentaux, les chrétiens, les juifs et les non-croyants est largement diffusé via Internet.

Mérième,

Tu sais que je vous ai élevés, toi ainsi que tes frères et sœur, dans un esprit de liberté et de laïcité. Je ne vous ai jamais imposé telle ou telle religion. Je me souviens de vous avoir exposé les principaux thèmes et les valeurs fondamentales des trois religions monothéistes. Vous êtes de culture musulmane, ne serait-ce que parce que vos grands-parents pratiquent l'islam en toute tranquillité. Vous les voyez prier, faire le ramadan, fêter l'Aïd et se rendre en pèlerinage à La Mecque.

Mais confrontés à l'islam paisible de vos grands-parents, vous ne parvenez pas à comprendre d'où vient cet «islamisme» dont parlent les médias, cette vision fanatique, radicale et sans aucune subtilité de la religion qui débouche sur des actes de terreur et de mort.

Tu as constaté que la plupart des hommes politiques essaient, dans leurs discours, de ne pas confondre l'islam et sa dérive islamiste. Mais la société, elle, ne s'encombre pas de ce genre de nuance ; pour la plupart des citoyens européens, c'est l'islam qui est responsable de la terreur qui secoue leurs pays.

L'histoire de la méfiance à l'égard de l'islam a commencé avec l'affaire du foulard puis du voile intégral et des lois interdisant les signes extérieurs d'appartenance religieuse. Cela a débuté en 1989, l'année où deux jeunes filles d'un lycée sont arrivées voilées pour marquer leur différence et dire leur identité musulmane.

On aurait pu se garder d'attirer l'attention, comme on l'a fait, sur leur manière de se présenter. Peut-être que l'événement n'aurait pas pris des proportions aussi considérables, au point d'agiter la République tout entière et de donner aux médias l'occasion de multiplier les sujets sur l'intrusion de la religion dans l'espace public, laïc, par définition républicain, un espace où la religion n'a pas le droit d'être.

Mérième, tu sais que la France est laïque. La loi de séparation des Églises et de l'État date de décembre 1905. Cette loi a été votée après de longues luttes.

La laïcité? Je commencerai par te dire ce qu'elle n'est pas. Eh bien, ce n'est surtout pas le refus ou la haine de la religion. Ce n'est pas une machine de guerre contre les croyants issus de toutes les religions en France.

La laïcité, c'est un principe qui affirme que la religion, quelle qu'elle soit, n'a pas sa place dans la sphère publique, ni à l'école, ni à l'hôpital, ni dans l'administration, mais seulement dans les domaines qui sont d'ordre privé.

La religion relève de la liberté de conscience, garantie par l'application du principe de laïcité, ce qui permet à tout citoyen de croire ou ne pas croire, de pratiquer sa religion en privé ou de ne pas la pratiquer du tout.

C'est en se fondant sur ces principes que les signes d'appartenance à la religion ont été interdits en France. Une loi a ensuite été votée pour interdire le port de la burqa, voile intégral cachant le corps de la femme de la tête aux pieds. Cette loi a été très mal reçue par certains musulmans, ceux qui pensent que le corps de la femme ne doit pas être montré en public. Ils ont brandi la liberté pour chacun de choisir la façon dont il entend s'habiller et vivre. Au fond, en voilant la femme, c'est le mode de vie occidental qui est rejeté, c'est la condition de la femme européenne qui est refusée. De là s'est affirmée une rupture entre la France laïque et une partie de la population musulmane en France.

Tu te souviens, Mérième, de ce voyage que nous avons fait ensemble entre Tanger et Paris. Au moment de l'embarquement, tu as aperçu une femme entièrement voilée, portant des gants noirs, ne laissant apparaître aucun millimètre de sa peau. Accompagnée par un homme habillé à la pakistanaise, avec une sorte de djellaba, portant une longue barbe, elle tenait dans ses bras un bébé. Tu étais effrayée. Tu m'as dit : « Mais cette pauvre femme est dans une prison, une cellule mobile, et puis cette façon de suivre son mari sans broncher, sans rien dire…» Je me souviens de ta réaction de colère et d'incompréhension. Puis tu as ajouté : «Jamais la police des frontières à Paris ne la laissera entrer sur le sol français.»

Durant le voyage, nous avons vu cette femme en noir manger en glissant sa fourchette sous son voile. C'était vraiment dérangeant, et tu as ajouté : «Mais ni ma grand-mère, ni ses sœurs, ni mes cousines n'ont porté ce voile total. Ce n'est pas l'islam, ça !»

Tu as raison. L'islam n'a jamais imposé à la femme cet accoutrement qui nie la personne humaine et qui en fait un objet haïssable. Dans le Coran, il n'est fait que trois références au voile : il est alors question de se couvrir les cheveux quand on prie ou quand on se trouve en face d'hommes qui ne sont pas de la famille. Cette pratique de la burqa noire et intégrale proviendrait de traditions afghane et pakistanaise. Il s'agit d'une mauvaise interprétation de l'islam, dictée par des hommes qui ont peur du corps des femmes, de la liberté des femmes, du désir des femmes.

Lorsque nous sommes arrivés à Orly, tu as suivi de près ce couple pour observer la réaction de la police. Tu t'es placée juste derrière cette femme, je m'en souviens. Elle a choisi la file où l'agent de police était une femme. Parvenue au guichet, elle a exhibé son passeport bordeaux, soulevé légèrement son voile et elle est passée sans la moindre discussion.

Nous étions étonnés l'un et l'autre. Tu as même eu envie d'en parler avec la policière. Mais tu t'es dit : « Ce n'est pas mon affaire. »

Je te rappelle cet épisode que nous avons vécu ensemble pour que tu te souviennes que c'est à cause de ces femmes transformées en fantômes que l'islam est de plus en plus perçu comme une religion qui considère la femme comme un être inférieur.

Le terrorisme au nom d'un islam interprété de manière exclusive et fanatique a commencé à se faire connaître avec les premiers attentats du mouvement Al-Qaïda, qui ont été commis à partir de décembre 1992, au Yémen, puis en Libye, en Égypte, au Pakistan et en Algérie. Le 11 septembre 2001, le monde entier a assisté au fameux détournement de quatre avions de ligne, dont deux se sont écrasés contre les tours jumelles du World Trade Center, à New York. Au total, 3 000 morts.

Cet attentat, le plus spectaculaire et le plus meurtrier, aura des conséquences considérables sur le monde arabe et musulman.

Tu te souviens de ce mardi soir, quand nous regardions tous ensemble la télévision et que nous observions un grand silence, un peu comme si nous nous trouvions dans un cimetière. Tu te souviens de la réaction de ta petite sœur qui avait à l'époque sept ans, et qui nous annonça que, à partir de ce jour, elle ne refuserait plus de manger du porc à la cantine de son école. Pour elle, être musulman signifiait que l'on s'autorisait à tuer des innocents.

C'est ce jour-là que j'ai décidé d'écrire un livre pour expliquer l'islam aux enfants – et même à leurs parents.

Depuis, le monde vit dans la peur que d'autres actes de terreur puissent être commis ici ou là. Et hélas, ce climat de terreur ne va pas s'évanouir comme par magie. D'autres attentats meurtriers ont déjà eu lieu dans les pays musulmans, comme l'Égypte, l'Afghanistan, le Maroc, la Tunisie, l'Algérie, la Libye, le Mali, l'Arabie saoudite, l'Irak et la Syrie, et les pays occidentaux n'ont pas été épargnés. C'est que, pour punir les auteurs de l'attentat du World Trade Center, le président des États-Unis de l'époque, George W. Bush, a décidé d'envahir l'Irak en mars 2003, faisant de ce pays l'antre des terroristes les plus acharnés contre le monde entier. C'est dans ce pays qu'à été proclamé l'«État islamique», sous le nom de Daech, et la suite, tu la connais : de très nombreux attentats ont été commis en France, en Espagne, en Grande-Bretagne, en Belgique, aux Pays-Bas, en Turquie et dans bien d'autres États. Daech menace aujourd'hui le monde et mène une lutte contre les chrétiens (notamment les chrétiens d'Orient, comme les Coptes d'Égypte), les Juifs et les mauvais musulmans qu'il traite de «mécréants».

Et, comme les attentats sont commis par des terroristes hurlant «Allah Akbar» (Dieu est grand), l'islam est étroitement associé au terrorisme le plus abject, le plus horrible que le monde ait connu.

Tu vois comment, peu à peu, une religion a été associée à des actes criminels commis par des fanatiques issus, à l'occasion, de pays occidentaux comme la France. Cette France qui a si mal traité les enfants d'immigrés, lesquels ont parfois en eux une haine du pays féroce. Ainsi s'expliquent les meurtres commis par Mohammed Merah sur des soldats français d'origine maghrébine, ainsi que sur des enfants, oui des enfants, juifs. Au nom aussi de cet islam dévoyé, d'autres iront assassiner froidement les journalistes de *Charlie Hebdo* (12 morts et 4 blessés graves), puis des Juifs dans un commerce casher de la porte de Vincennes. C'était le 7 janvier 2015.

Oui, nous étions atterrés, horrifiés, sans

voix. Nous nous sommes ensuite rendus tous ensemble place de la République pour manifester en silence notre horreur et notre solidarité avec les familles des victimes.

Le terrorisme, c'est l'acte raciste au plus haut sommet d'abjection. Oui, le racisme tue. Ce n'est d'ailleurs pas nouveau : le nazisme a été l'application dans les faits, dans l'horreur absolue, du racisme anti-juif.

Nous pensions que cette grande manifestation allait éloigner la tentation raciste. Pas du tout. L'islam était sur le banc des accusés. Comment le défendre, comme le sortir de ce piège où l'avaient jeté des criminels sans foi ni loi ?

Au moment où la France pansait ses plaies, de nouvelles attaques contre son mode de vie, contre ses principes de liberté allaient être commises de manière encore plus inattendue et plus meurtrière. Ce fut le 13 novembre 2015 : les attentats contre le Bataclan, 130 morts et 413 blessés, contre des restaurants et cafés du même arrondissement. Soirée horrible où, au nom d'Allah et de son prophète, des individus ont massacré des innocents.

Je te rappelle ces faits pour te faire bien comprendre dans quel contexte le racisme anti-musulman, anti-arabe, anti-immigré s'est ensuite développé, créant des situations de crise et d'incompréhension entre Français.

Et puis la terreur ne s'en est pas tenue là.

Il y a eu le camion fou, ce soir du 14 juillet 2016, où l'air frais de Nice avait fait sortir les gens sur la promenade des Anglais pour se détendre le long de la mer et admirer le feu d'artifice. C'est là qu'un camion conduit par un autre criminel a fait 84 morts et 331 blessés, parmi lesquels nombre de gens issus de familles musulmanes qui se croyaient en sécurité dans le pays des droits de l'homme. Nice et toute la France ont été endeuillées. Au nom d'un islam de propagande meurtrière.

Le 26 juillet 2016, Jacques Hamel, un prêtre de quatre-vingt-cinq ans, un homme de paix, a été égorgé dans son église à Saint-Étienne-du-Rouvray (près de Rouen).

L'horreur est montée encore d'un cran sur l'échelle de l'intolérable.

Ce crime inqualifiable a également été revendiqué par l'«État islamique».

En 2006, Ilan Halimi, un beau et séduisant jeune homme, est enlevé par «le gang des barbares». Ces monstres vont le torturer durant trois semaines, espérant que beaucoup d'argent leur sera versé. Car un Juif est forcément un homme riche, n'est-ce pas…

Il mourra de ses blessures, suite aux tortures

qu'il a subies. Crime atroce, crime raciste, antisémite.

Onze ans plus tard, en 2017, Sarah Halimi, une dame âgée de soixante-cinq ans, sera à son tour mise à mort par son voisin, un Africain. Ce dernier la jettera par la fenêtre et elle mourra sur le coup. Le tribunal mettra plusieurs mois avant de reconnaître le caractère antisémite de cet assassinat.

Le même scénario s'est encore produit avec Mireille Knoll, une vieille femme de quatre-vingt-cinq ans, qui, en 1942, avait par miracle échappé à la rafle du Vél' d'Hiv. Battue, écorchée, lardée de coups de couteau, brûlée vive parce que Juive par deux individus.

Cela s'est passé en France. Ce que les nazis n'avaient pas réussi à faire, deux tueurs l'ont fait avec férocité et cruauté, minés par la haine du Juif.

Le racisme tue.

Le racisme ne connaît pas de trêve, pas de répit. Il est là, il scrute les visages, tourne autour des corps et s'abat sur certains d'entre eux sans prévenir.

Non, le racisme, ce n'est pas un fantasme, une rumeur, un bruit, une ombre qui court dans la ville ; non, le racisme, ce sont des hommes et des femmes qui ont une histoire, un passé, une mémoire. Qui sont animés d'une haine sans limites contre des êtres qu'ils ne connaissent pas ou si peu.

En marge de ces crimes, certains cimetières, aussi bien musulmans que juifs, sont souvent profanés. Le racisme ne laisse pas non plus les morts en paix.

Mérième,

Le 21 avril 2018, *Le Parisien* a publié une pétition signée par 300 personnalités dénonçant «le nouvel antisémitisme islamiste en France». Un livre intitulé *Le Nouvel Antisémitisme en France* a paru au même moment aux éditions Albin Michel.

J'ai lu ce manifeste. Il m'a mis mal à l'aise.

Que les islamistes soient antisémites est incontestable. Je l'ai suffisamment dit et dénoncé. Mais ces terroristes, il faut bien le comprendre, sont animés par toutes les haines : haine des Juifs, certes, mais haine aussi des musulmans paisibles qui ne sont pas de leur bord, haine des mécréants et des autres religions.

Le manifeste insiste sur le fait que les Juifs «ont vingt-cinq fois plus de risques d'être agressés que leurs concitoyens musulmans». Il rappelle que onze Juifs ont été assassinés (certains torturés) ces dernières années.

Tout cela est vrai. Mais l'antisémitisme progresse partout en Europe, et pas du simple fait du terrorisme islamiste. En Allemagne, les incidents antisémites ont été multipliés par deux en une année, passant de 590 à 947. Des mouvements néo-nazis ont vu le jour en Autriche, en Pologne et dans d'autres pays européens. 51 % des Polonais refusent que leur fille épouse un Juif.

En France, on ne relève que l'antisémitisme des islamistes. Derrière ce constat, même si les mots ne le disent pas, c'est l'islam qui est visé. La preuve : les signataires « demandent que les versets du Coran appelant au meurtre et au châtiment des juifs, des chrétiens et des incroyants soient frappés d'obsolescence par les autorités théologiques ».

On ne peut pas lutter contre l'antisémitisme en ouvrant un autre front, celui de la haine des musulmans. Bien sûr, les choses ne sont pas dites comme ça. Mais on glisse facilement de la dérive islamiste à l'islam, nous le savons bien.

Une trentaine d'imams ont publié une tribune dans laquelle, en réponse, ils s'engagent à lutter contre l'antisémitisme. À réaffirmer que le racisme doit être combattu quelle que soit la victime. L'article 1 de la Déclaration des droits de l'homme est suffisamment clair : « Les hommes naissent et demeurent libres et égaux en droits. »

Car la lutte contre le racisme est un combat de tous les instants. Elle doit accompagner tout ce que nous entreprenons et éviter de nous rendre plus attentif à tel racisme plutôt qu'à tel autre. Tout être humain a droit à la dignité et au respect.

Rien ne permet de définir scientifiquement la notion de race, et l'Assemblée nationale a entrepris d'effacer le mot de la Constitution de la République française par un vote des députés en Commission des lois le 27 juin 2018. La France affirme ainsi que la notion de « race » ne saurait être utilisée pour distinguer les êtres humains en fonction de la couleur de leur peau ou de quelque caractéristique génétique que ce soit. Cette décision de l'Assemblée nationale, l'un des grands événements de ces vingt dernières années, coupe l'herbe sous le pied des racistes, qui s'efforcent de donner corps et crédit à leurs préjugés en prétendant que l'humanité serait composée de plusieurs « races », et en sous-entendant bien sûr que « la race blanche » serait supérieure aux autres. Or, l'humanité est une, au-delà de sa diversité, et bien qu'elle soit composée de plusieurs milliards de visages.

Le problème des réfugiés qui affluent depuis plusieurs années dans l'Europe tout entière, fuyant la guerre en Syrie et en Irak, a placé la France dans une situation difficile. Le gouvernement a durci les lois concernant l'asile, refusant de secourir des réfugiés voguant en mer d'un pays à un autre. La France a ainsi tourné le dos à l'une de ses meilleures traditions : la France comme terre d'asile.

Simultanément, un mouvement appelé «Génération identitaire» est né. Composé principalement de jeunes, il affirme lutter contre «l'invasion des étrangers» et revendique une France blanche et catholique. Ces jeunes surveillent les frontières, obligeant le ministère de l'Intérieur à agir selon leurs préconisations. C'est un glissement dangereux vers le repli et la fermeture, sous la pression de l'intolérance.

Tu vois, Mérième, non seulement le racisme n'a pas disparu, mais il s'est banalisé. La parole raciste s'est libérée. Les cibles sont toujours les immigrés en général, et en particulier les immigrés musulmans ; quant à l'antisémitisme, il est toujours bien vivant : qu'il soit le fruit de l'Europe profonde ou des djihadistes islamistes, mais aussi, je le sais bien, de certaines brebis égarées dans des banlieues déshéritées, il crée une situation d'insécurité qui pousse certaines familles juives à émigrer en Israël.

La France a aujourd'hui besoin d'être apaisée, rendue à ses valeurs républicaines et à ses traditions d'accueil et d'asile. Rien ne sert de provoquer des conflits entre communautés. Car le racisme est l'affaire de tous les citoyens, quels que soient leurs origines, leurs croyances, leur couleur de peau, leurs rêves et leurs aspirations.

TBJ, le 2 juillet 2018

* *
*

Mérième,

Pas un jour ne passe sans que le racisme, en France et ailleurs, ne se manifeste. Il fait partie de la vie, de nos vies, dans la mesure où il colle à la peau de l'homme depuis toujours. Aucune société au monde n'est épargnée par les effets pervers de cette idéologie funeste. Pourtant certains pays luttent davantage et mieux que d'autres contre ce fléau.

Tout comme toi, le monde entier a vibré et a été ému par l'assassinat d'un homme noir, prénommé George Floyd, par les forces de l'ordre, à Minneapolis, le 25 mai 2020. Ce meurtre raciste s'ajoute à nombre d'autres qui touchent les hommes noirs américains, notamment ceux de Michael Brown à Ferguson et d'Eric Garner à New York en 2014.

L'Amérique, malgré des avancées dans le domaine des droits civiques, n'a pas renoncé à la violence raciale.

Tu le sais, l'éducation fait ce qu'elle peut, dès l'école primaire, pour que l'humanité apprenne à se débarrasser de ces réflexes quasi naturels qui sont si solidement installés chez tout le monde. Le sentiment de supériorité, la conviction que c'est la couleur de la peau qui concède à l'homme ce sentiment, tous ces préjugés relèvent d'une vieille histoire. Elle pourrait trouver son origine dans la guerre du feu. La méfiance à l'égard de l'étranger qui avance proviendrait de l'idée que ce qui n'est pas moi peut constituer une menace pour moi, pour ma famille. D'où, en réaction, une attitude de rejet sans même réfléchir à ce qui se joue dans le contact avec l'autre.

Le racisme se cultive et se propage d'une société à l'autre. À sa source se trouve l'ignorance.

Si personne n'a le monopole de la méfiance et du rejet, ces attitudes négatives n'affectent pourtant pas les enfants.

Ma fille, tu l'as senti, un enfant ne se méfie pas des autres élèves qui sont avec lui en classe. Il peut préférer certains camarades à d'autres, mais ce ne sera pas à cause de leur couleur de peau, pas à cause de leur apparence physique. L'enfant sait d'instinct qu'il ne peut pas aimer tous les camarades de sa classe, alors il choisit parmi eux et obéit à ses préférences. Mais, dans tous les cas, il doit le respect à tous pour qu'il soit lui-même respecté.

Longtemps, l'un de tes frères m'a parlé de son ami Max. Un jour, il l'a invité à la maison. J'ai vu arriver un garçon à la peau noire. Jamais ton frère ne fit allusion au fait que son copain était noir. Les adultes, eux, non seulement le font remarquer tout de suite, mais ils en profitent pour faire comprendre que cette couleur n'est pas «bonne», qu'elle est détestable, en utilisant des mots péjoratifs et insultants comme «nègre» pour le Noir, «bicot» ou «bougnoule» pour l'Arabe, «youpin» pour le Juif, «jaune» pour l'Asiatique, etc.

C'est à toi et aux enfants que je me suis toujours adressé. Les enfants sont encore disponibles pour apprendre des choses, ils n'ont pas encore assimilé un paquet de préjugés.

Les adultes ont les préjugés faciles et entêtés.

Ce constat s'est imposé à moi à la suite de mes très nombreux voyages dans le monde où j'ai visité des écoles dans les pays où ce livre a été traduit. J'ai, durant ces vingt dernières années, discuté avec des enfants indiens, africains du Sud, indonésiens, malais, japonais, tamouls, maghrébins, palestiniens, israéliens, des élèves de tous les pays européens et de tous les pays arabes. Les enfants se posent les mêmes questions et attendent que la société leur réponde.

Le racisme est d'autant plus virulent que la situation sociale est encombrée de difficultés et de problèmes. Les inégalités de fait, dues à la pauvreté, à la précarité, sont une source de rejet de la part de ceux qui ont peur de tomber un jour à leur tour dans cette misère. Ainsi, on a souvent attribué la progression du chômage aux communautés immigrées. Un parti politique avait même lancé le slogan : «Trois millions de chômeurs = trois millions d'immigrés en trop», accusant les immigrés d'être directement responsables du chômage.

Aujourd'hui, on ne peut pas dire que les choses ont beaucoup changé.

Certes l'arsenal judiciaire est là : des lois contre l'incitation à la haine raciale existent et sont appliquées. La vigilance est quasi générale. Et, en vérité, même si l'on a parfois l'impression contraire, le racisme diminue. C'est parce qu'on en parle beaucoup, dans les médias notamment, au sein des associations, qu'on a le sentiment qu'il augmente. Or le racisme régresse un peu.

Reste un racisme particulier, l'antisémitisme, qui, lui, progresse : des agressions et même des assassinats de Juifs ont eu lieu ces dernières années ; des synagogues et des tombes ont été profanées. Des insultes fusent au passage de Juifs dans la rue. L'antisémitisme a une longue et très ancienne histoire en France. Aujourd'hui, la lutte contre ce racisme est une priorité.

La peur de l'islam s'est aussi répandue assez facilement depuis les attentats du Bataclan, de *Charlie Hebdo*, de l'Hyper Casher de la porte de Vincennes, en 2015, même si cette religion n'y est pour rien. Cette défiance s'est réactivée, lors de l'attentat terroriste perpétré le 16 octobre 2020 contre un professeur d'histoire-géographie, Samuel Paty, qui a été décapité au prétexte qu'il avait montré des caricatures du prophète Mahomet à ses élèves pour discuter avec eux de la liberté d'expression – attentat qui a suscité une très vive émotion dans la société française et au sein de toutes les communautés qui la compose.

Détournée de ses valeurs fondamentales, utilisée par des incultes assassins, la religion musulmane a du mal à trouver sa place dans la société française. Pourtant, les musulmans, dans leur écrasante majorité, dénoncent l'islamisme armé qui commet des crimes en leurs noms. Mais la stigmatisation de l'islam existe et la lutte contre «le séparatisme islamiste radical» annoncée le 2 octobre 2020 par le président de la République ne fait et ne fera qu'exacerber cette stigmatisation. Les gens confondent l'islam et ses dérives. Difficile pour certains de faire la différence entre une religion monothéiste qui a puisé certaines de ses valeurs dans le judaïsme et dans le catholicisme, et ce que des voyous en font dans une guerre confuse et criminelle.

Mérième, plus que jamais, la pédagogie au quotidien devra être la ligne directrice de l'éducation générale des citoyens en devenir. On n'expliquera pas le racisme de temps en temps, en pointillé, mais il faudra inclure le réflexe pédagogique d'en discuter dans toutes les disciplines. Car la haine raciale ne se repose pas. La lutte contre cette haine doit être là, partout, et tout le temps. C'est en ce sens que je crois beaucoup à l'école et à l'engagement de l'Éducation nationale pour rester vigilant en expliquant les mécanismes du racisme, comment les démonter et comment combattre les préjugés qui rôdent autour de l'enfant.

TBJ, le 20 octobre 2020

Introduction

C'est en allant manifester, le 22 février 1997, avec ma fille contre le projet de loi Debré sur l'entrée et le séjour des étrangers en France que j'ai eu l'idée d'écrire ce texte. Ma fille, dix ans, m'a posé beaucoup de questions. Elle voulait savoir pourquoi on manifestait, ce que signifiaient certains slogans, si cela servait à quelque chose de défiler dans la rue en protestant, etc.

C'est ainsi qu'on en est arrivés à parler du racisme. Me souvenant de ses interrogations et de ses réflexions, j'ai rédigé un texte. Dans un premier temps, nous l'avons lu ensemble. J'ai dû le réécrire presque entièrement. J'ai dû changer des mots compliqués et expliquer des notions difficiles. Une autre lecture eut lieu en présence de deux de ses amies. Leurs réactions furent très intéressantes. J'en ai tenu compte dans les versions que j'ai rédigées après.

Ce texte a été écrit et réécrit pas moins de quinze fois. Besoin de clarté, de simplicité et d'objectivité. Je voudrais qu'il soit accessible à tous, même si je le destine en priorité aux enfants entre huit et quatorze ans. Leurs parents pourront le lire aussi.

Je suis parti du principe que la lutte contre le racisme commence avec l'éducation. On peut éduquer des enfants, pas des adultes. C'est pour cela que ce texte a été pensé et écrit dans un souci pédagogique.

Je voudrais remercier les amis qui ont eu la gentillesse de relire ce texte et de me faire part de leurs remarques. Merci aussi aux amies de Mérième qui ont participé à l'élaboration des questions.

Dialogue

– Dis, Papa, c'est quoi le racisme ?

– Le racisme est un comportement assez répandu, commun à toutes les sociétés, devenu, hélas !, banal dans certains pays parce qu'il arrive qu'on ne s'en rende pas compte. Il consiste à se méfier, et même à mépriser, des personnes ayant des caractéristiques physiques et culturelles différentes des nôtres.

– Quand tu dis «commun», tu veux dire normal ?

– Non. Ce n'est pas parce qu'un comportement est courant qu'il est normal. En général, l'homme a tendance à se méfier de quelqu'un de différent de lui, un étranger par exemple ; c'est un comportement aussi ancien que l'être humain ; il est universel. Cela touche tout le monde.

– Si ça touche tout le monde, je pourrais être raciste !

– D'abord, la nature spontanée des enfants n'est pas raciste. Un enfant ne naît pas raciste. Si ses parents ou ses proches n'ont pas mis dans sa tête des idées racistes, il n'y a pas de raison pour qu'il le devienne. Si, par exemple, on te fait croire que ceux qui ont la peau blanche sont supérieurs à ceux dont la peau est noire, si tu prends au sérieux cette affirmation, tu pourrais avoir un comportement raciste à l'égard des Noirs.

– C'est quoi être supérieur?

– C'est, par exemple, croire, du fait qu'on a la peau blanche, qu'on est plus intelligent que quelqu'un dont la peau est d'une autre couleur, noire ou jaune. Autrement dit, les traits physiques du corps humain, qui nous différencient les uns des autres, n'impliquent aucune inégalité.

– Tu crois que je pourrais devenir raciste?

– Le devenir, c'est possible; tout dépend de l'éducation que tu auras reçue. Il vaut mieux le savoir et s'empêcher de l'être, autrement dit accepter l'idée que tout enfant ou tout adulte est capable, un jour, d'avoir un sentiment et un comportement de rejet à l'égard de quelqu'un qui ne lui a rien fait mais qui est différent de lui. Cela arrive souvent. Chacun d'entre nous peut avoir, un jour, un mauvais geste, un mauvais sentiment. On est agacé par un être qui ne nous est pas familier, on pense qu'on est mieux que lui, on a un sentiment soit de supériorité soit d'infériorité par rapport à lui, on le rejette, on ne veut pas de lui comme voisin, encore moins comme ami, simplement parce qu'il s'agit de quelqu'un de différent.

– Différent ?
– La **différence**, c'est le contraire de la ressemblance, de ce qui est identique. La première différence manifeste est le sexe. Un homme se sent différent d'une femme. Et réciproquement. Quand il s'agit de cette différence-là, il y a, en général, attirance.

« Par ailleurs, celui qu'on appelle « différent » a une autre couleur de peau que nous, parle une autre langue, cuisine autrement que nous, a d'autres coutumes, une autre religion, d'autres façons de vivre, de faire la fête, etc. Il y a la différence qui se manifeste par les apparences physiques (la taille, la couleur de la peau, les traits du visage, etc.), et puis il y a la différence du comportement, des mentalités, des croyances, etc.

– Alors le raciste n'aime pas les langues, les cuisines, les couleurs qui ne sont pas les siennes ?
– Non, pas tout à fait ; un raciste peut aimer et apprendre d'autres langues parce qu'il en

a besoin pour son travail ou ses loisirs, mais il peut porter un jugement négatif et injuste sur les peuples qui parlent ces langues. De même, il peut refuser de louer une chambre à un étudiant étranger, vietnamien par exemple, et aimer manger dans des restaurants asiatiques. Le raciste est celui qui pense que tout ce qui est trop différent de lui le menace dans sa tranquillité.

– C'est le raciste qui se sent menacé?

– Oui, car il a peur de celui qui ne lui ressemble pas. Le raciste est quelqu'un qui souffre d'un complexe d'infériorité ou de supériorité. Cela revient au même puisque son comportement, dans un cas comme dans l'autre, sera du mépris.

– Il a peur?

– L'être humain a besoin d'être rassuré. Il n'aime pas trop ce qui risque de le déranger dans ses certitudes. Il a tendance à se méfier de ce qui est nouveau. Souvent, on a peur de ce qu'on ne connaît pas. On a peur dans l'obscurité, parce qu'on ne voit pas ce qui pourrait nous arriver quand toutes les lumières sont éteintes. On se sent sans défense face à l'inconnu. On imagine des choses horribles. Sans raison. Ce n'est pas logique. Parfois, il n'y a rien qui justifie la peur, et pourtant on a peur. On a beau se raisonner, on réagit comme si une menace réelle existait.

Le racisme n'est pas quelque chose de juste ou de raisonnable.

— Papa, si le raciste est un homme qui a peur, le chef du parti qui n'aime pas les étrangers doit avoir peur tout le temps. Pourtant, chaque fois qu'il apparaît à la télévision, c'est moi qui ai peur ! Il hurle, menace le journaliste et tape sur la table.

— Oui, mais ce chef dont tu parles est un homme politique connu pour son agressivité. Son racisme s'exprime de manière violente. Il communique aux gens mal informés des affirmations fausses pour qu'ils aient peur. Il exploite la peur, parfois réelle, des gens. Par exemple, il leur dit que les immigrés viennent en France pour prendre le travail des Français, toucher les allocations familiales et se faire soigner gratuitement dans les hôpitaux. Ce n'est pas vrai. Les immigrés font souvent les travaux que refusent les Français. Ils payent leurs impôts et cotisent pour la sécurité sociale ; ils ont droit aux soins quand ils tombent malades. Si demain, par malheur, on expulsait tous les immigrés de France, l'économie de ce pays s'écroulerait.

— Je comprends. Le raciste a peur sans raison.

— Il a peur de l'étranger, celui qu'il ne connaît pas, surtout si cet étranger est plus pauvre que lui. Il se méfiera plus d'un ouvrier africain que d'un milliardaire américain. Ou mieux encore, quand un émir d'Arabie vient passer des vacances sur la Côte d'Azur, il est accueilli à bras ouverts, parce que celui qu'on accueille, ce n'est pas l'Arabe, mais l'homme riche venu dépenser de l'argent.

– C'est quoi un **étranger** ?

– Le mot « étranger » vient du mot « étrange », qui signifie du dehors, extérieur. Il désigne celui qui n'est pas de la famille, qui n'appartient pas au clan ou à la tribu. C'est quelqu'un qui vient d'un autre pays, qu'il soit proche ou lointain, parfois d'une autre ville ou d'un autre village. Cela a donné le mot **« xénophobie »**, qui signifie hostile aux étrangers, à ce qui vient de l'étranger. Aujourd'hui, le mot « étrange » désigne quelque chose d'extraordinaire, de très différent de ce qu'on a l'habitude de voir. Il a comme synonyme le mot « bizarre ».

– Quand je vais chez ma copine, en Normandie, je suis une étrangère ?

– Pour les habitants du coin, oui, sans doute, puisque tu viens d'ailleurs, de Paris, et que tu es marocaine. Tu te souviens quand nous sommes allés au Sénégal ? Eh bien, nous étions des étrangers pour les Sénégalais.

– Mais les Sénégalais n'avaient pas peur de moi, ni moi d'eux !

– Oui, parce que ta maman et moi t'avions expliqué que tu ne devais pas avoir peur des étrangers, qu'ils soient riches ou pauvres, grands ou petits, blancs ou noirs. N'oublie pas ! On est toujours l'étranger de quelqu'un, c'est-à-dire qu'on est toujours perçu comme quelqu'un d'étrange par celui qui n'est pas de notre culture.

– Dis, Papa, je n'ai toujours pas compris pourquoi le racisme existe un peu partout.

– Dans les sociétés très anciennes, dites primitives, l'homme avait un comportement proche de celui de l'animal. Un chat commence par marquer son territoire. Si un autre chat, ou un autre animal, tente de lui voler sa nourriture ou de s'en prendre à ses petits, le chat qui se sent chez lui se défend et protège les siens de toutes ses griffes. L'homme est ainsi. Il aime avoir sa maison, sa terre, ses biens et se bat pour les garder. Ce qui est normal. Le raciste, lui, pense que l'étranger, quel qu'il soit, va lui prendre ses biens. Alors il s'en méfie, sans même réfléchir, presque d'instinct. L'animal ne se bat que s'il est attaqué. Mais parfois l'homme attaque l'étranger sans même que celui-ci ait l'intention de lui ravir quoi que ce soit.

– Et tu trouves ça commun à toutes les sociétés ?

– Commun, assez répandu, oui, normal, non. Depuis longtemps, l'homme agit ainsi. Il y a la nature et puis la culture. Autrement dit, il y a le comportement instinctif, sans réflexion, sans raisonnement, puis il y a le comportement réfléchi, celui qu'on a acquis par l'éducation, l'école et le raisonnement. C'est ce qu'on appelle «culture», par opposition à «nature». Avec la culture, on apprend à vivre ensemble ; on apprend surtout que nous ne sommes pas seuls au monde, qu'il existe d'autres peuples avec d'autres traditions, d'autres façons de vivre et qu'elles sont aussi valables que les nôtres.

– Si par culture tu veux dire éducation, le racisme peut aussi venir de ce qu'on apprend...

– On ne naît pas raciste, on le devient. Il y a une bonne et une mauvaise éducation. Tout dépend de celui qui éduque, que ce soit à l'école ou à la maison.

– Alors, l'animal, qui ne reçoit aucune éducation, est meilleur que l'homme !

– Disons que l'animal n'a pas de sentiments

préétablis. L'homme, au contraire, a ce qu'on appelle des **préjugés**. Il juge les autres avant de les connaître. Il croit savoir d'avance ce qu'ils sont et ce qu'ils valent. Souvent, il se trompe. Sa peur vient de là. Et c'est pour combattre sa peur que l'homme est parfois amené à faire la guerre. Tu sais, quand je dis qu'il a peur, il ne faut pas croire qu'il tremble ; au contraire, sa peur provoque son agressivité ; il se sent menacé et il attaque. Le raciste est agressif.

– Alors c'est à cause du racisme qu'il y a des guerres ?

– Certaines, oui. A la base, il y a une volonté de prendre le bien des autres. On utilise le racisme ou la religion pour pousser les gens à la haine, à se détester alors qu'ils ne se connaissent même pas. Il y a la peur de l'étranger, peur qu'il prenne ma maison, mon travail, ma femme. C'est l'ignorance qui alimente la peur. Je ne sais pas qui est cet étranger, et lui non plus ne sait pas qui je suis. Regarde par exemple nos voisins de l'immeuble. Ils se sont longtemps méfiés de nous, jusqu'au jour où nous les avons invités à manger un couscous. C'est à ce moment-là qu'ils se sont rendu compte que nous vivions comme eux. A leurs yeux, nous avons cessé de paraître dangereux, bien que nous soyons originaires d'un autre pays, le Maroc. En les invitant, nous avons chassé leur méfiance. Nous nous sommes parlé, nous nous sommes un peu mieux connus. Nous avons ri ensemble. Cela veut dire que nous étions à l'aise entre nous, alors qu'auparavant, quand nous nous rencontrions dans l'escalier, nous nous disions à peine bonjour.

— Donc, pour lutter contre le racisme, il faut s'inviter les uns les autres !

— C'est une bonne idée. Apprendre à se connaître, à se parler, à rire ensemble ; essayer de partager ses plaisirs, mais aussi ses peines, montrer que nous avons souvent les mêmes préoccupations, les mêmes problèmes, c'est cela qui pourrait faire reculer le racisme. Le voyage lui aussi peut être un bon moyen pour mieux connaître les autres. Déjà Montaigne (1533-1592) poussait ses compatriotes à voyager et à observer les différences. Pour lui, le voyage était le meilleur moyen de «frotter et limer notre cervelle contre celle d'autrui». Connaître les autres pour mieux se connaître.

— Est-ce que le racisme a toujours existé ?

— Oui, depuis que l'homme existe, sous des formes différentes selon les époques. Déjà, à une époque très ancienne, l'époque de la préhistoire, celle qu'un romancier a appelée «la guerre du feu», les hommes s'attaquaient avec des armes rudimentaires, de simples gourdins, pour un territoire, une cabane, une femme, des provisions de nourriture, etc. Alors ils fortifiaient les frontières, aiguisaient leurs armes, de peur d'être envahis. L'homme est obsédé par sa sécurité, ce qui l'entraîne parfois à craindre le voisin, l'étranger.

– Le racisme, c'est la guerre?

– Les guerres peuvent avoir des causes différentes, souvent économiques. Mais, en plus, certaines se font au nom de la supposée supériorité d'un groupe sur un autre. On peut dépasser cet aspect instinctif par le raisonnement et par l'éducation. Pour y arriver, il faut décider de ne plus avoir peur du voisin, de l'étranger.

– Alors, qu'est-ce qu'on peut faire?

– Apprendre. S'éduquer. Réfléchir. Chercher à comprendre toute chose, se montrer curieux de tout ce qui touche à l'homme, contrôler ses premiers instincts, ses pulsions…

– C'est quoi une **pulsion**?

– C'est l'action de pousser, de tendre vers un but de manière non réfléchie. Ce mot a donné «répulsion», qui est l'action concrète de repousser l'ennemi, de chasser quelqu'un vers l'extérieur. Répulsion veut dire aussi dégoût. Il exprime un sentiment très négatif.

– Le raciste, c'est celui qui pousse l'étranger dehors parce qu'il le dégoûte ?

– Oui, il le chasse même s'il n'est pas menacé, simplement parce qu'il ne lui plaît pas. Et, pour justifier cette action violente, il invente des arguments qui l'arrangent. Parfois, il fait appel à la science, mais la science n'a jamais justifié le racisme. Il lui fait dire n'importe quoi, parce qu'il pense que la science lui fournit des preuves solides et incontestables. Le racisme n'a aucune base scientifique, même si des hommes ont essayé de se servir de la science pour justifier leurs idées de **discrimination**.

– Que veut dire ce mot ?

– C'est le fait de séparer un groupe social ou ethnique des autres en le traitant plus mal. C'est comme si, par exemple, dans une école, l'administration décidait de regrouper dans une classe tous les élèves noirs parce qu'elle considère que ces enfants sont moins intelligents que les autres. Heureusement, cette discrimination n'existe pas dans les écoles françaises. Elle a existé en Amérique et en Afrique du Sud. Quand on oblige une communauté, ethnique ou religieuse, à se rassembler pour vivre isolée du reste de la population, on crée ce qu'on appelle des **ghettos**.

– C'est une prison ?

– Le mot « ghetto » est le nom d'une petite île en face de Venise, en Italie. En 1516, les Juifs de Venise furent envoyés dans cette île, séparés des autres communautés. Le ghetto est une forme de prison. En tout cas, c'est une discrimination.

– Quelles sont les preuves scientifiques du raciste ?

– Il n'y en a pas, mais le raciste croit ou fait croire que l'étranger appartient à une autre race, une race qu'il considère comme inférieure. Mais il a totalement tort, il existe une seule race et c'est tout, appelons-la le genre humain ou l'espèce humaine, par opposition à l'espèce animale. Chez les animaux, les différences sont grandes d'une espèce à l'autre. Il y a l'espèce canine et l'espèce bovine. Dans l'espèce canine, les différences sont si importantes (entre un berger allemand et un teckel) qu'il est possible de définir des races. C'est impossible pour l'espèce humaine, parce qu'un homme égale un homme.

– Mais, Papa, on dit bien que quelqu'un est de race blanche, un autre de race noire, ou jaune, on nous l'a souvent dit à l'école. L'institutrice nous a encore dit l'autre jour qu'Abdou, qui vient du Mali, était de race noire.

– Si ton institutrice a vraiment dit cela, elle se

trompe. Je suis désolé de te dire ça, je sais que tu l'aimes bien, mais elle commet une erreur et je crois qu'elle ne le sait pas elle-même. Écoute-moi bien, ma fille : **les** races humaines n'existent pas. Il existe un genre humain dans lequel il y a des hommes et des femmes, des personnes de couleur, de grande taille ou de petite taille, avec des aptitudes différentes et variées. Et puis il y a plusieurs races animales. Le mot «race» ne doit pas être utilisé pour dire qu'il y a une diversité humaine. Le mot «race» n'a pas de base scientifique. Il a été utilisé pour exagérer les effets de différences apparentes, c'est-à-dire physiques. On n'a pas le droit de se baser sur les différences physiques – la couleur de la peau, la taille, les traits du visage – pour diviser l'humanité de manière hiérarchique, c'est-à-dire en considérant qu'il existe des hommes supérieurs par rapport à d'autres hommes qu'on mettrait dans une classe inférieure. Autrement dit, on n'a pas le droit de croire, et surtout de faire croire, que parce qu'on est blanc de peau on a des qualités supplémentaires par rapport à une personne de couleur. **Je te propose de ne plus utiliser le mot «race».** Il a tellement été exploité par des gens malveillants qu'il vaut mieux le remplacer par les mots «genre humain». Donc le genre humain est composé de groupes divers et différents. Mais tous les hommes et toutes les femmes de la planète ont du sang de la même couleur dans leurs veines, qu'ils aient la peau rose, blanche, noire, marron, jaune ou autre.

– Pourquoi les Africains ont la peau noire et les Européens la peau blanche ?

– L'aspect foncé de la peau est dû à un pigment appelé la **mélanine**. Ce pigment existe chez tous les êtres humains. Il est cependant fabriqué par l'organisme en plus grande quantité chez les Africains que chez les Européens ou les Asiatiques.

– Alors mon copain Abdou fabrique plus de…

– Mélanine, c'est comme un colorant.

– Donc il fabrique plus de mélanine que moi. Je sais aussi que nous avons tous du sang rouge, mais quand Maman avait besoin de sang, le médecin avait dit que ton groupe était différent.

– Oui, il existe plusieurs **groupes sanguins** : ils sont au nombre de quatre, A, B, O et AB. Le groupe O est donneur universel. Le groupe AB est receveur universel. Cela n'a rien à voir avec une question de supériorité ou d'infériorité. Les différences sont dans la culture (la langue, les coutumes, les rites, la cuisine, etc.). Souviens-toi, c'est Tam, l'amie vietnamienne de ta mère, qui lui a donné du sang, alors que ta maman est marocaine. Elles ont le même groupe sanguin. Et pourtant elles sont de cultures très différentes et n'ont pas la même couleur de peau.

– Donc si un jour mon copain malien, Abdou, a besoin de sang, je pourrai lui en donner?

– Si vous appartenez au même groupe sanguin, oui.

– L'autre jour, j'ai entendu un homme dire à la télé que les noirs ont un petit cerveau et que les blancs ont un cerveau plus grand, donc qu'ils sont plus intelligents.

– C'est idiot. Je pense que cet homme fait référence aux travaux d'un groupe de psychologues et de sociologues américains qui ont publié en 1994 un ouvrage où ils prétendent que «les hommes noirs n'auraient pas les mêmes facultés intellectuelles que les hommes blancs». C'est une vieille histoire datant du XIXe siècle.

Pour justifier le racisme, certains utilisent des démonstrations et des dessins pour prouver que le quotient intellectuel (ce qu'on appelle QI) d'une personne dépend de sa couleur de peau ou de la forme de sa boîte crânienne. En réalité, cela n'a strictement rien à voir. D'abord parce que la capacité crânienne est la même pour tous les individus. Ce qui ne veut pas dire qu'ils ont tous le même niveau d'intelligence, le même QI. L'intelligence dépend d'autres facteurs qui n'ont rien à voir avec les caractéristiques physiques d'une personne.

Dans un petit livre, *Le Cerveau* (publié par Hatier, Paris, 2000), Bernard Andrieu cite les travaux d'Alfred Binet (1857-1911), qui fut directeur du laboratoire de psychologie de la Sorbonne et qui, après maintes recherches, conclut ainsi : « Il n'y a pas un millimètre de différence entre la mesure céphalique des élèves intelligents et celle des élèves les moins intelligents. » L'idée de mesurer l'intelligence en mesurant la tête paraissait déjà ridicule.

Cela n'empêchera pas d'autres psychologues ou biologistes de continuer à faire croire que le fait d'être un ouvrier manuel ou d'être originaire d'Afrique ou de certaines régions d'Amérique latine implique qu'on a un QI inférieur à celui des cadres et des habitants de pays riches et de peau blanche. Un Américain, M. Terman, attribuait en 1916 aux « Noirs » et aux familles hispano-indiennes et mexicaines du sud-ouest des États-Unis « une fréquence de QI comprise entre 70 et 80 ». Il écrit : « Il leur est impossible de maîtriser les sujets abstraits, mais on peut souvent en faire de bons ouvriers…» Bien avant l'arrivée de Hitler sur la scène, cet homme avait émis le souhait d'empêcher ces individus de se reproduire. En 1920, il réussit à faire passer une loi aux États-Unis permettant de stériliser des gens considérés comme pas assez intelligents. Cette loi ne fut abrogée qu'en 1972!

– C'est quoi, un raciste?

– Le raciste est celui qui, sous prétexte qu'il n'a pas la même couleur de peau, ni la même langue, ni la même façon de faire la fête, se croit meilleur, disons supérieur, que celui qui est différent de lui. Il persiste à croire qu'il existe plusieurs races et se dit: «Ma race est belle et noble; les autres sont laides et bestiales.»

– Il n'y a pas de race meilleure?

– Non. Des historiens, aux XVIIIe et XIXe siècles, ont essayé de démontrer qu'il existait une race blanche qui serait meilleure sur le plan physique et mental qu'une supposée race noire. À l'époque, on croyait que l'humanité était divisée en plusieurs races. Un historien (Ernest Renan, 1823-1892) a même désigné les groupes humains appartenant à ««la race inférieure»: les Noirs d'Afrique, les Aborigènes d'Australie et les Indiens d'Amérique. Pour lui, «le Noir serait à l'homme ce qu'est l'âne au cheval», c'est-à-dire «un homme à qui manqueraient l'intelligence et la beauté»! Mais, comme dit un professeur en médecine spécialiste du sang, «les races pures, dans le règne animal, ne peuvent exister qu'à l'état expérimental, au laboratoire, avec des souris par exemple». Il ajoute qu'«il existe plus de différences socioculturelles entre un Chinois, un Malien et un Français, que de différences génétiques».

– C'est quoi les **différences socioculturelles**?

– Les différences socioculturelles sont celles qui distinguent un groupe humain d'un autre, à travers la manière dont les hommes s'organisent en société (n'oublie pas, chaque groupe humain a ses traditions et ses coutumes) et ce qu'ils créent comme produits culturels (la musique africaine est différente de la musique européenne). La culture de l'un est différente de celle de l'autre groupe. Il en va de même pour ce qui concerne la manière de se marier, de faire la fête, etc.

– Et c'est quoi la **génétique**?

– Le terme «génétique» désigne les gènes, c'est-à-dire des éléments responsables du facteur héréditaire dans notre organisme. Un gène est une unité héréditaire. Tu sais ce que c'est que l'**hérédité**? C'est tout ce que les parents transmettent à leurs enfants: par exemple, les caractères physiques et psychiques. La ressemblance physique et certains traits de caractère des parents qu'on retrouve chez leurs enfants s'expliquent par l'hérédité.

– Alors nous sommes plus différents par notre éducation que par les gènes ?

– De toute façon, nous sommes tous différents les uns des autres. Simplement, certains d'entre nous ont des traits communs héréditaires. En général, ils se regroupent entre eux. Ils forment une population qui se distingue d'un autre groupe par sa façon de vivre. Il existe plusieurs groupes humains qui diffèrent entre eux par la couleur de la peau, par le système pileux, par les traits du visage et aussi par la culture. Quand ils se mélangent (par le mariage), cela donne des enfants qu'on appelle « métis ». En général, les métis sont beaux. C'est le mélange qui produit la beauté. Le métissage est un bon rempart contre le racisme.

– Si nous sommes tous différents, la ressemblance n'existe pas…

– Chaque être humain est unique. De par le monde, il n'existe pas deux êtres humains absolument identiques. Même de vrais jumeaux restent différents. La particularité de l'homme, c'est de porter une identité qui ne définit que lui-même. Il est singulier, c'est-à-dire irremplaçable. On peut certes remplacer un fonctionnaire par un autre, mais la reproduction exacte du même est impossible. Chacun d'entre nous peut se dire : «je ne suis pas comme les autres», et il aura raison. Dire : «je suis unique», cela ne veut pas dire «être le meilleur». C'est simplement constater que chaque être humain est singulier. Autrement dit, chaque visage est un miracle, unique et inimitable.

– Moi aussi ?

– Absolument. Tu es unique, comme Abdou est unique, comme Céline est unique. Il n'existe pas sur terre deux empreintes digitales rigoureusement identiques. Chaque doigt a sa propre empreinte. C'est pour cela que, dans les films policiers, on commence par relever les empreintes laissées sur les objets pour identifier les personnes qui se trouvaient sur les lieux du crime.

– Mais, Papa, on a montré l'autre jour à la télévision une brebis qui a été fabriquée en deux exemplaires !

– Tu veux parler de ce qu'on appelle le **clonage**, le fait de reproduire une chose en autant d'exemplaires qu'on veut. Cela est possible avec les objets. Ils sont fabriqués par des machines qui reproduisent le même objet de manière identique. Mais on ne doit pas le faire avec les animaux et encore moins avec les humains.

– Tu as raison, je n'aimerais pas avoir deux Céline dans ma classe. Une seule suffit.

– Tu te rends compte, si on pouvait reproduire les humains comme on fait des photocopies, on contrôlerait le monde, on déciderait de multiplier certains ou d'en éliminer d'autres. C'est horrible.

– Ça me fait peur… Même ma meilleure amie, je n'aimerais pas l'avoir en double !

– Et puis, si on autorisait le clonage, des hommes dangereux pourraient s'en servir à leur profit, par exemple prendre le pouvoir et écraser les faibles. Heureusement, l'être humain est unique et ne se reproduit pas à l'identique. Parce que je ne suis pas identique à mon voisin ni à mon frère jumeau, parce que nous sommes tous différents les uns des autres, on peut dire et constater que « la richesse est dans la différence ».

– Si j'ai bien compris, le raciste a peur de l'étranger parce qu'il est ignorant, croit qu'il existe plusieurs races et considère la sienne comme la meilleure ?

– Oui, ma fille. Mais ce n'est pas tout. Tu as oublié la violence et la volonté de dominer les autres.

– Le raciste est quelqu'un qui se trompe.

– Les racistes sont convaincus que le groupe auquel ils appartiennent – qui peut être défini par la religion, le pays, la langue, ou tout ensemble – est supérieur au groupe d'en face.

– Comment font-ils pour se sentir supérieurs ?

– En croyant et en faisant croire qu'il existe des inégalités naturelles d'ordre physique, c'est-à-dire apparentes, ou d'ordre culturel, ce qui leur donne un sentiment de supériorité par rapport aux autres. Ainsi, certains se réfèrent à la religion pour justifier leur comportement ou leur sentiment. Il faut dire que chaque religion croit être la meilleure pour tous et a tendance à proclamer que ceux qui ne la suivent pas font fausse route.

– Tu dis que les religions sont racistes ?

– Non, ce ne sont pas les religions qui sont racistes, mais ce que les hommes en font parfois et qui se nourrit du racisme. En l'an 1095, le pape Urbain II lança, à partir de la ville de Clermont-Ferrand, une guerre contre les musulmans, considérés comme des infidèles. Des milliers de chrétiens partirent vers les pays d'Orient massacrer les Arabes et les Turcs. Cette guerre, faite au nom de Dieu, prit le nom de «croisades». (La croix, symbole des chrétiens, contre le croissant, symbole des musulmans.)

«Entre le XIe et le XVe siècle, les chrétiens

d'Espagne ont expulsé les musulmans puis les Juifs en invoquant des raisons religieuses.

«Ainsi, certains prennent appui sur les livres sacrés pour justifier leur tendance à se dire supérieurs aux autres. Les guerres de religion sont fréquentes.

– Mais tu m'as dit un jour que le Coran était contre le racisme.

– Oui, le Coran, comme la Thora ou la Bible ; tous les livres sacrés sont contre le racisme. Le Coran dit que les hommes sont égaux devant Dieu et qu'ils sont différents par l'intensité de leur foi. Dans la Thora, il est écrit : «... si un étranger vient séjourner avec toi, ne le moleste point, il sera pour toi comme un de tes compatriotes... et tu l'aimeras comme toi-même.» La Bible insiste sur le respect du prochain, c'est-à-dire de l'autre être humain, qu'il soit ton voisin, ton frère ou un étranger. Dans le Nouveau Testament, il est dit : «Ce que je vous commande, c'est de vous aimer les uns les autres», et «Tu aimeras ton prochain comme toi-même». Toutes les religions prêchent la paix entre les hommes. Allah dit dans le Coran (sourate XLIX, verset 13) : «Ô vous, les hommes ! Nous vous avons créés d'un mâle et d'une femelle. Nous vous avons constitués en peuples et en tribus pour que vous vous connaissiez entre vous.»

– Et si on ne croit pas en Dieu? Je dis ça parce que parfois je me demande si l'enfer, le paradis existent vraiment…

– Si on n'a pas la foi, on est mal vu, très mal vu, par les religieux; pour les plus fanatiques d'entre eux, on devient même un ennemi.

– L'autre jour, à la télévision, quand il y a eu des attentats, un journaliste a accusé l'islam. C'était un journaliste raciste, d'après toi?

– Non, il n'est pas raciste, il est ignorant et incompétent. Ce journaliste confond l'islam et la politique. Ce sont des hommes politiques qui utilisent l'islam dans leurs luttes. On les appelle des intégristes.

– Ce sont des racistes?

– Les intégristes sont des fanatiques. Le fanatique est celui qui pense qu'il est le seul à détenir la Vérité. Souvent, le fanatisme et la religion vont ensemble. Les intégristes existent dans la plupart des religions. Ils se croient inspirés par l'esprit divin. Ils sont aveugles et passionnés et veulent imposer leurs convictions à tous les autres. Ils sont dangereux, car ils n'accordent pas de prix à la vie des autres. Au nom de leur Dieu, ils sont prêts à tuer et même à mourir; beaucoup sont manipulés par un chef. Évidemment, ils sont racistes.

– C'est comme les gens qui votent pour Le Pen?

– Le Pen dirige un parti politique fondé sur le racisme, c'est-à-dire la haine de l'étranger, de l'immigré, la haine des musulmans, des Juifs, etc.

– C'est le parti de la haine!

– Oui. Mais tous ceux qui votent pour Le Pen ne sont peut-être pas racistes… Je me le demande… Sinon, il y aurait plus de quatre millions de racistes en France! C'est beaucoup! On les trompe; ou bien ils ne veulent pas voir la réalité. En votant pour Le Pen, certains expriment un désarroi; mais ils se trompent de moyen.

– Dis-moi, Papa, comment faire pour que les gens ne soient plus racistes?

– Comme disait le général de Gaulle, «vaste programme»! La haine est tellement plus facile à installer que l'amour. Il est plus facile de se méfier, de ne pas aimer que d'aimer quelqu'un qu'on ne connaît pas. Toujours cette tendance spontanée, la fameuse pulsion de tout à l'heure, qui s'exprime par le refus et le rejet.

– C'est quoi le **refus**, le **rejet**?

– C'est le fait de fermer la porte et les fenêtres.

Si l'étranger frappe à la porte, on ne lui ouvre pas. S'il insiste, on ouvre mais on ne lui permet pas de rester ; on lui signifie qu'il vaut mieux aller ailleurs, on le repousse.

– Et ça donne la haine ?

– Ça, c'est la méfiance naturelle que certaines personnes ont les unes pour les autres. La haine est un sentiment plus grave, plus profond, car il suppose son contraire, l'amour.

– Je ne comprends pas, de quel amour tu parles ?

– Celui que l'on a pour soi-même.

– Ça existe, des gens qui ne s'aiment pas eux-mêmes ?

– Quand on ne s'aime pas, on n'aime personne. C'est comme une maladie. C'est une misère. Très souvent, le raciste s'aime beaucoup. Il s'aime tellement qu'il n'a plus de place pour les autres. D'où son égoïsme.

– Alors, le raciste est quelqu'un qui n'aime personne et est égoïste. Il doit être malheureux. C'est l'enfer !

– Oui, le racisme, c'est l'enfer.

– L'autre jour, en parlant avec tonton, tu as dit : « L'enfer c'est les autres. » Qu'est-ce que ça veut dire ?

– Ça n'a rien à voir avec le racisme. C'est une expression qu'on utilise quand on est obligé de supporter des gens avec lesquels on n'a pas envie de vivre.

– C'est comme le racisme.

– Non, pas tout à fait, car il ne s'agit pas d'aimer tout le monde. Si quelqu'un, disons ton cousin turbulent, envahit ta chambre, déchire tes cahiers et t'empêche de jouer toute seule, tu n'es pas raciste parce que tu le mets hors de ta chambre. En revanche, si un camarade de classe, disons Abdou le Malien, vient dans ta chambre, se conduit bien et que tu le mets dehors pour la seule raison qu'il est noir alors, là, tu es raciste. Tu comprends ?

– D'accord, mais « l'enfer, c'est les autres », je n'ai pas bien compris.

– C'est une réplique tirée d'une pièce de Jean-Paul Sartre qui s'appelle *Huis clos*. Trois personnages se retrouvent dans une belle chambre après leur mort, et pour toujours. Ils devront vivre ensemble et n'ont aucun moyen d'en échapper. C'est ça l'enfer. D'où l'expression « l'enfer, c'est les autres ».

– Là, ce n'est pas du racisme. J'ai le droit de ne pas aimer tout le monde. Mais comment savoir quand ce n'est pas du racisme ?

– Un homme ne peut pas aimer absolument tout le monde, et s'il est obligé de vivre avec des gens qu'il n'a pas choisis, il pourra vivre l'enfer et leur trouver des défauts, ce qui le rappro-chera du raciste. Pour justifier sa répulsion, le raciste invoque des caractéristiques physiques ; il dira : je ne peux plus supporter un tel parce qu'il a le nez busqué, ou parce qu'il a les cheveux crépus, ou les yeux bridés, etc. Voici ce que pense au fond de lui le raciste : «Peu m'importe de connaître les défauts et les qualités individuels d'une personne. Il me suffit de savoir qu'elle appartient à une communauté déterminée pour la rejeter.» Il s'appuie sur des traits physiques ou psychologiques pour justifier son rejet de la personne.

– Donne-moi des exemples.

– On dira que les Noirs sont «robustes mais paresseux, gourmands et malpropres» ; on dira que les Chinois sont «petits, égoïstes et cruels» ; on dira que les Arabes sont «fourbes, agressifs et traîtres», on dira «c'est du travail arabe» pour caractériser un travail bâclé ; on dira que les Turcs sont «forts et brutaux» ; on affublera les Juifs des pires défauts physiques et moraux pour tenter de justifier leurs persécutions... Les exemples abondent. Des Noirs diront que les Blancs ont une drôle d'odeur, des Asiatiques diront que les Noirs sont des sauvages, etc. Il faut chasser de ton vocabulaire ces expressions toutes faites, du genre «tête de Turc», «travail arabe», «rire jaune », « trimer comme un nègre », etc. Ce sont des sottises qu'il faut combattre.

– Comment les combattre ?

– D'abord, apprendre à respecter. Le respect est essentiel. D'ailleurs, les gens ne réclament pas qu'on les aime mais qu'on les respecte dans leur dignité d'être humain. Le respect, c'est avoir de l'égard et de la considération. C'est savoir écouter. L'étranger réclame non de l'amour et de l'amitié, mais du respect. L'amour et l'amitié peuvent naître après, quand on se connaît mieux et qu'on s'apprécie. Mais, au départ, il ne faut avoir aucun jugement décidé d'avance. Autrement dit, pas de préjugé. Or le racisme se développe grâce à des idées toutes faites sur les peuples et leur culture. Je te donne d'autres exemples de généralisations stupides : les Écossais sont avares, les Belges pas très malins, les Gitans voleurs, les Asiatiques sournois, etc. Toute généralisation est imbécile et source d'erreur. C'est pour ça qu'il ne faut jamais dire : « Les Arabes sont ceci ou cela » ; « Les Français sont comme ci ou comme ça… », etc. Le raciste est celui qui généralise à partir d'un cas particulier. S'il est volé par un Arabe, il en conclura que tous les Arabes sont des voleurs. Respecter autrui, c'est avoir le souci de la justice.

– Mais on peut raconter des histoires belges sans être raciste !

– Pour pouvoir se moquer des autres, il faut savoir rire de soi-même. Sinon, on n'a pas d'humour. L'humour est une force.

– C'est quoi l'humour, c'est le rire ?

– Avoir le sens de l'humour, c'est savoir plaisanter et ne pas se prendre au sérieux. C'est faire ressortir en toute chose l'aspect qui conduit à rire ou à sourire. Un poète a dit : «L'humour, c'est la politesse du désespoir.»

– Est-ce que les racistes ont le sens de l'humeur, je veux dire de l'humour ?

– C'est un bon lapsus ; avant on utilisait le mot «humeur» pour parler de l'humour. Non, les racistes n'ont pas le sens de l'humour ; quant à leur humeur, elle est souvent méchante. Ils ne savent rire que méchamment des autres, en montrant leurs défauts comme si eux-mêmes n'en avaient pas. Quand le raciste rit, c'est pour montrer sa prétendue supériorité ; en fait, ce qu'il montre, c'est son ignorance et son degré de bêtise, ou sa volonté de nuire. Pour désigner les autres, il utilisera des termes hideux, insultants. Par exemple, il appellera un Arabe «bougnoule», «raton», «bicot», «melon», un Italien «rital» ou «macaroni», un Juif «youpin», un Noir «nègre», etc.

– Quand on est bête, on est raciste ?

– Non, mais quand on est raciste on est bête.

– Donc, si je résume bien, le racisme vient de : 1) la peur, 2) l'ignorance, 3) la bêtise.

– Tu as raison. Il faut que tu saches aussi ceci : on peut posséder le savoir et l'utiliser pour justifier le racisme. L'intelligence peut être utilisée au service d'une mauvaise cause ; donc ce n'est pas aussi simple.

– Comment ?

– Parfois, des gens éduqués et cultivés, à la suite d'un malheur – le chômage par exemple –, rendent des étrangers responsables de leur situation. Au fond d'eux-mêmes, ils savent que les étrangers n'y sont pour rien, mais ils ont besoin de porter leur colère sur quelqu'un. C'est ce qu'on appelle un **bouc émissaire**.

– C'est quoi un bouc émissaire ?

– Il y a très longtemps, la communauté d'Israël choisissait un bouc qu'elle chargeait symboliquement de ses impuretés et le lâchait dans le désert. Quand on veut faire retomber ses erreurs sur quelqu'un, on choisit un bouc émissaire. En France, les racistes font croire que, s'il y a une crise économique, c'est dû aux étrangers. Ils les accusent de prendre le travail et le pain des

Français. Ainsi, le parti appelé le Front national, qui est un parti raciste, a collé sur tous les murs de France des affiches où il était écrit : « 3 millions de chômeurs = 3 millions d'immigrés en trop ». Tu sais, un Français sur cinq est d'origine étrangère !

– Mais les immigrés sont eux aussi frappés par le chômage ! Le père de Souad, la cousine de Maman, n'a pas de travail depuis deux ans. Il cherche mais ne trouve pas. Quelquefois, quand il téléphone pour un boulot, c'est d'accord, puis quand il se présente on lui dit que c'est trop tard !

– Tu as raison. Mais les racistes sont des menteurs. Ils racontent n'importe quoi sans se soucier de la vérité. Ce qu'ils veulent, c'est frapper les imaginations avec des slogans. Des études économiques ont démontré que cette équation, « 3 millions de chômeurs = 3 millions d'immigrés en trop », est absolument fausse. Mais quelqu'un de malheureux parce qu'il est sans emploi est prêt à croire n'importe quelle sottise qui apaisera sa colère.

– Accuser des immigrés ne va pas lui donner du travail !

– Oui, évidemment, nous retrouvons la peur de l'étranger, celui qu'on charge des maux et des méfaits. C'est plus facile. Le raciste est quelqu'un qui pratique la mauvaise foi.

– La **mauvaise foi** ?

– Je te donne un exemple : un élève étranger a de mauvaises notes à l'école. Au lieu de s'en prendre à lui-même parce qu'il n'a pas assez travaillé, il dira que s'il a de mauvaises notes, c'est parce que l'institutrice est raciste.

– C'est comme ma cousine Nadia. Elle a eu un avertissement et elle a dit à ses parents que les professeurs n'aimaient pas les Arabes ! Elle est gonflée, je sais que c'est une mauvaise élève.

– C'est ça la mauvaise foi !

– Mais Nadia n'est pas raciste…

– Elle utilise un argument bête pour dégager sa part de responsabilité, et cela ressemble à la méthode des racistes.

– Donc il faut ajouter à la peur, à l'ignorance et à la bêtise, la mauvaise foi.

– Oui. Si je t'explique aujourd'hui comment on devient raciste, c'est parce que le racisme prend parfois des dimensions tragiques. Alors ce n'est plus une simple question de méfiance ou de jalousie à l'égard des gens appartenant à un groupe donné. Dans le passé, on a vu tout un peuple soumis à la loi du racisme et de l'extermination.

– C'est quoi l'**extermination** ? Ça doit être horrible !

– C'est le fait de faire disparaître de manière radicale et définitive une communauté, un groupe.

– Comment? On tue tout le monde?

– C'est ce qui s'est passé durant la Seconde Guerre mondiale lorsque Hitler, le chef de l'Allemagne nazie, a décidé d'éliminer de la planète les Juifs et les Tsiganes (quant aux Arabes, Hitler les a traités de «dernière race après les crapauds»!). Il a réussi à brûler et à gazer cinq millions de Juifs. Cela s'appelle un génocide. A la base, il y a une théorie raciste qui dit: «Les Juifs étant considérés comme des gens appartenant à une "race impure", donc inférieure, ils n'ont pas droit à la vie; il faut les exterminer, c'est-à-dire les éliminer jusqu'au dernier.» En Europe, les gouvernements qui avaient des Juifs parmi leur population devaient les dénoncer et les livrer aux nazis. Les Juifs devaient porter une étoile jaune sur la poitrine pour qu'on les reconnaisse. On a donné à ce racisme-là le nom d'**antisémitisme**.

– D'où vient ce mot?

– Il vient du terme «sémite», qui désigne des groupes originaires d'Asie occidentale et parlant des langues proches, comme l'hébreu et l'arabe. C'est ainsi que les Juifs et les Arabes sont des sémites.

– Alors quand on est antisémite on est aussi anti-arabe?

– En général, quand on parle de l'antisémitisme, on désigne le racisme anti-juif. C'est un racisme particulier, puisqu'il a été pensé froidement et planifié de sorte à tuer tous les Juifs. Pour répondre plus directement à ta question, je dirai que celui qui est anti-juif est aussi anti-arabe. De toute façon, le raciste est celui qui n'aime pas les autres, qu'ils soient juifs, arabes, noirs... Si Hitler avait gagné la guerre, il se serait attaqué à presque toute l'humanité, car la race pure n'existe pas. C'est un non-sens. C'est impossible. C'est pour cela qu'il faut être extrêmement vigilant.

– Est-ce qu'un Juif peut être raciste ?

– Un Juif pourrait être raciste, comme un Arabe pourrait être raciste, comme un Arménien pourrait être raciste, comme un Tsigane pourrait être raciste, comme un homme de couleur pourrait être raciste... Il n'existe pas de groupe humain qui ne comporte en son sein des individus susceptibles d'avoir des sentiments et des comportements racistes.

– Même quand on subit le racisme ?

– Le fait d'avoir souffert de l'injustice ne rend pas forcément juste. Il en est de même pour le racisme. Un homme qui a été victime de racisme pourrait, dans certains cas, céder à la tentation raciste.

– Explique-moi ce que c'est qu'un **génocide**.

– C'est la destruction systématique et méthodique d'un groupe ethnique. Quelqu'un de puissant et fou décide froidement de tuer par tous les moyens toutes les personnes appartenant à un groupe humain donné. En général, ce sont les **ethnies** minoritaires qui sont souvent visées par ce genre de décision.

– Encore un mot que je ne connais pas ; c'est quoi une ethnie ?

– C'est un groupe d'individus qui ont en commun une langue, des coutumes, des traditions, une civilisation, qu'il transmet de génération en génération. C'est un peuple qui se reconnaît dans une identité précise. Les individus qui le composent peuvent être éparpillés dans plusieurs pays.

– Donne-moi des exemples.

– Les Juifs, les Berbères, les Arméniens, les Tsiganes, les Chaldéens, ceux qui parlent l'araméen, la langue du Christ, etc.

– Quand on n'est pas nombreux, on risque un génocide ?

– L'Histoire montre que les minorités – ceux qui ne sont pas nombreux – ont souvent été persécutées. Pour ne prendre que ce siècle, dès 1915, les Arméniens, qui vivaient dans les provinces orientales de l'Anatolie, ont été pourchassés et massacrés par les Turcs (plus d'un million de morts sur une population totale de un million huit cent mille personnes). Ensuite, il y a eu les Juifs, massacrés en Russie et en Pologne (on appelle ces massacres des pogroms). Juste après, plus de cinq millions de Juifs ont été tués par les nazis en Europe, dans des camps de concentration. Dès 1933, les nazis considérèrent les Juifs comme «une race négative», une «sous-race», comme ils ont déclaré les Tsiganes «racialement inférieurs» et les ont aussi massacrés (deux cent mille morts).

– Ça, c'était il y a longtemps. Et maintenant ?

– Les massacres de minorités se poursuivent. Récemment, en 1992, les Serbes, au nom de ce qu'ils ont appelé la «purification ethnique», ont massacré par milliers des Bosniaques musulmans.

«Au Rwanda, les Hutus ont massacré les Tutsis (minoritaires, favorisés et opposés par les Européens aux Hutus). Ce sont deux ethnies qui se font la guerre depuis que les Belges ont colonisé la région des Grands Lacs de ce pays. Le colonialisme, dont nous reparlerons, a souvent divisé les populations pour régner. Ce siècle, ma fille, a été généreux en massacres et en douleur.

– Et au Maroc, il y a des Juifs ? Je sais qu'il y a des Berbères, puisque Maman est berbère.

– Au Maroc, les Juifs et les musulmans ont vécu presque onze siècles ensemble. Les Juifs avaient leurs quartiers, qu'on appelle *mellah*. Ils ne se mélangeaient pas avec les musulmans mais ne se disputaient pas avec eux. Entre eux, il y avait un peu de méfiance, mais aussi du respect. Le plus important, c'est que, lorsque les Juifs se faisaient massacrer en Europe, ils étaient protégés au Maroc. Au moment de l'occupation de la France par l'Allemagne, le roi du Maroc, Mohammed V, a refusé de les livrer au maréchal Pétain qui les lui réclamait pour les envoyer dans les camps de concentration des nazis, c'est-à-dire en enfer. Il les a protégés. Le roi a répondu à Pétain : « Ce sont mes sujets, ce sont des citoyens marocains. Ici, ils sont chez eux, ils sont en sécurité. Je m'engage à les protéger. » Les Juifs marocains qui se sont éparpillés dans le monde l'aiment beaucoup. Aujourd'hui, il reste quelques milliers de Juifs au Maroc. Et ceux qui sont partis aiment y revenir. C'est le pays arabe et musulman qui compte le plus de Juifs sur son sol. Tu sais comment les Juifs marocains appellent Sefrou, une petite ville au sud de Fez ? Ils l'appellent la « petite Jérusalem ».

– Mais pourquoi sont-ils partis ?

– Quand le Maroc est devenu indépendant, en 1956, ils ont eu peur, ne sachant pas ce qui allait se passer. Des Juifs qui étaient déjà installés en Israël les incitaient à les rejoindre. Ensuite, les guerres de 1967 et de 1973 entre Israël et les pays arabes ont fini par les décider à quitter leur pays natal pour aller soit en Israël, soit en Europe ou en Amérique du Nord. Mais les Marocains musulmans regrettaient ces départs, parce que, pendant plus de mille ans, Juifs et musulmans ont vécu dans la paix. Il existe des chants et des poèmes qui ont été composés en arabe par des Juifs et des musulmans. C'est une preuve de la bonne entente entre les deux communautés.

– Alors les Marocains ne sont pas racistes !

– Cette affirmation n'a pas de sens. Il n'existe pas de peuple raciste ou non raciste dans sa globalité. Les Marocains sont comme tout le monde. Parmi eux, on rencontre des gens racistes et des gens non racistes.

– Aiment-ils les étrangers ?

– Ils sont connus pour leurs traditions d'hospitalité. Ils aiment accueillir les étrangers de passage, leur montrer le pays, leur faire goûter leur cuisine. De tout temps, les familles marocaines ont été hospitalières ; cela est aussi valable pour les autres Maghrébins, pour les

Arabes du désert, les Bédouins, les nomades, etc. Mais certains Marocains ont un comportement condamnable, notamment avec les Noirs.

– Donc au Maroc, il y a du racisme ?

– Bien sûr, pourquoi voudrais-tu que ce pays soit épargné par ce fléau qui est, comme je te l'ai expliqué, planétaire ? Les Marocains réagissent face aux mêmes peurs et aux mêmes ignorances ; parfois, ils le font de manière directe, parfois avec hypocrisie ; en général, ils se méfient des étrangers, notamment ceux dont la couleur de peau est foncée.

– Tu veux parler des Africains ?

– Commençons par décrire l'attitude des Marocains à l'égard des Noirs. D'abord le Maroc a depuis longtemps des relations commerciales avec des pays comme le Sénégal, le Mali, la Guinée, la Côte-d'Ivoire... Des commerçants marocains, principalement originaires de la ville de Fès, parcouraient l'Afrique pour vendre et acheter des produits comme des épices, des tissus, etc.

Certains commerçants ramenaient avec eux des femmes qu'ils avaient épousées sur place et les installaient chez eux malgré les réticences que tu devines de la part de leurs épouses blanches. Celles-ci traitaient comme des esclaves ces pauvres Africaines, qui continuaient de servir de maîtresses sexuelles à l'homme. Leur sort n'était absolument pas enviable. Elles étaient isolées, ne retourneraient plus dans leur pays et vivaient sous le joug de la famille marocaine. C'était encore vrai vers la fin des années 1940. Aujourd'hui, ce trafic n'existe plus. Cependant, il y a toujours quelques Marocains à la peau noire, descendants pour la plupart de ces esclaves ou bien originaires du sud du pays, notamment de la région du Tafilalet.

– Mais l'esclavage a été aboli !

– Aboli, oui, mais pas dans toutes les mentalités.

– C'est-à-dire ?

– Le racisme antinoir se manifeste depuis que des Africains subsahariens se rendent vers le nord du Maroc dans l'espoir de traverser clandestinement le détroit de Gibraltar. Ceux qui y parviennent et attendent le moment opportun vivent quelques mois dans des conditions très difficiles. Certains Marocains les aident, leur donnent à manger ; d'autres se méfient d'eux et les traitent comme des êtres inférieurs.

– Comment ?

– Par exemple, en utilisant certaines expressions pour les désigner.

– Lesquelles ?

– On les appelle «*azzi*», qui veut dire «nègre», «*moussakh*» (sale), «*hartani*» (homme corvéable) ; «*aâbd*» (esclave)…

– C'est du racisme sans le moindre doute !

– Oui, les Africains en souffrent, mais je dirais que si ces mêmes Africains étaient riches, je suis sûr que le regard et l'attitude des Marocains changeraient. Il y a certes la couleur de la peau mais il y a surtout la condition de grande pauvreté que les gens ne supportent pas. Ils réagissent avec violence parce que ces hommes ou ces femmes noirs qui errent dans les rues en attendant de pouvoir quitter l'Afrique clandestinement sont leurs doubles.

– C'est-à-dire ?

– Ils se voient en eux, c'est ce qui explique leurs réactions agressives.

– Pourtant le Maroc est un pays africain !

– Oui, mais les Marocains ne cultivent pas cette identité et se pensent comme des Arabes, des Blancs.

– Est-ce que des familles marocaines blanches ont donné leur fille à un Africain noir ?

– C'est extrêmement rare. C'est arrivé, mais cela a provoqué des problèmes sans fin.

– Par exemple ?

– Impossible pour eux de trouver un appartement à louer, à moins qu'ils ne soient très riches et ne construisent leur propre maison. Une fois logés, les couples mixtes seront souvent embêtés par les voisins.

– D'où vient cette animosité ?

– La peur irraisonnée, l'ignorance et un manque d'éducation. Les rares relations que les Marocains ont eues avec l'Afrique étaient soit commerciales, soit esclavagistes. Entre-temps, les parents n'ont pas appris à leurs enfants à respecter les personnes étrangères dont la couleur de peau est différente de la leur.

« Bien avant les Marocains, des Européens blancs considéraient le Noir comme « un animal à part, comme le singe » (Buffon, 1707-1788). Cet homme pourtant très savant disait aussi : « Les Nègres sont inférieurs ; c'est normal, qu'ils soient soumis à l'esclavage. » L'esclavage a été aboli à peu près partout dans le monde. Mais il persiste sous des formes déguisées ici ou là.

– C'est comme dans ce film américain où le patron blanc fouette des Noirs...

– Les Noirs américains sont des descendants d'esclaves que les premiers immigrés installés en Amérique allaient chercher en Afrique. L'**esclavage** est le droit de propriété appliqué à un être humain. L'esclave est totalement privé de liberté. Il appartient corps et âme à celui qui l'a acheté. Le racisme contre les Noirs a été et continue d'être très virulent en Amérique. Les Noirs ont mené des luttes terribles pour obtenir des droits. Avant, dans certains États, les Noirs n'avaient pas le droit de nager dans la même piscine que les Blancs, pas le droit d'utiliser les mêmes toilettes que les Blancs, ni d'être enterrés dans le même cimetière que celui des Blancs, pas le droit de monter dans le même autobus ou de fréquenter les mêmes écoles que les Blancs. En 1957, à Little Rock, une petite ville du Sud des États-Unis, il a fallu l'intervention du président Eisenhower, de la police et de l'armée pour que neuf enfants noirs puissent entrer à la Central High School, une école pour Blancs... La lutte pour les droits des Noirs n'a pas cessé malgré l'assassinat, en 1968 à Memphis, d'un des grands initiateurs de cette lutte, Martin Luther King. Aujourd'hui, les choses commencent à changer. C'est comme en Afrique du Sud où les Blancs et les Noirs vivaient séparés. C'est ce qu'on appelait l'**apartheid**. Les Noirs, plus nombreux, étaient discriminés par la minorité blanche qui dirigeait le pays.

«Il faut que je te dise aussi que les Noirs sont comme tout le monde, eux aussi ont des comportements racistes à l'égard des personnes différentes d'eux. Le fait qu'ils soient souvent victimes de discrimination raciale n'empêche pas certains d'entre eux d'être racistes.

— Tu as dit tout à l'heure que le colonialisme divisait les gens… C'est quoi le **colonialisme**, c'est aussi du racisme?

— Au XIXe siècle, des pays européens comme la France, l'Angleterre, la Belgique, l'Italie, le Portugal ont occupé militairement des pays africains et asiatiques. Le colonialisme est une domination. Le colonialiste considère qu'il est de son devoir, en tant qu'homme blanc et civilisé, d'aller «apporter la civilisation à des races inférieures». Il pense, par exemple, qu'un Africain, du fait qu'il est noir, a moins d'aptitudes intellectuelles qu'un Blanc, autrement dit qu'il est moins intelligent qu'un Blanc.

— Le colonialiste est raciste!

— Il est raciste et dominateur. Quand on est dominé par un autre pays, on n'est pas libre, on perd son indépendance. Ainsi l'Algérie, jusqu'en 1962, était considérée comme une partie de la France. Ses richesses ont été exploitées et ses habitants privés de liberté. Les Français ont débarqué en Algérie en 1830 et se sont emparés de tout le pays. Ceux qui ne voulaient pas de cette domination étaient pourchassés, arrêtés et même tués. Le colonialisme est un racisme à l'échelle de l'État.

– Comment un pays peut-il être raciste ?

– Pas tout un pays, mais si son gouvernement décide de façon arbitraire d'aller s'installer dans des territoires qui ne lui appartiennent pas et s'y maintient par la force, c'est qu'il méprise les habitants de ce territoire, considérant que leur culture ne vaut rien et qu'il faut leur apporter ce qu'il appelle la civilisation. Généralement, on développe un peu le pays. On construit quelques routes, quelques écoles et hôpitaux, parfois pour montrer qu'on n'est pas venu uniquement par intérêt, toujours pour mieux en profiter. En fait, le colonisateur développe ce qui va l'aider pour exploiter les ressources du pays. C'est ça, le colonialisme. Le plus souvent, c'est pour s'emparer de nouvelles richesses, augmenter son pouvoir, mais cela il ne le dit jamais. C'est une invasion, un vol, une violence, qui peut avoir des conséquences graves sur les gens. En Algérie, par exemple, il a fallu des années de lutte, de résistance et de guerre pour en finir avec le colonialisme.

– L'Algérie est libre…

– Oui, elle est indépendante depuis 1962 ; ce sont les Algériens qui décident ce qu'il faut pour leur pays…

– 1830-1962, ça fait beaucoup de temps, cent trente-deux ans !

– Comme a dit le poète algérien Jean Amrouche, en 1958 :

Aux Algériens on a tout pris
la patrie avec le nom
le langage avec les divines sentences
de sagesse qui règlent la marche de l'homme
depuis le berceau jusqu'à la tombe
la terre avec les blés
les sources avec les jardins
le pain de la bouche et le pain de l'âme
[...]
On a jeté les Algériens hors de toute
patrie humaine
on les a faits orphelins
on les a faits prisonniers
d'un présent sans mémoire et sans avenir

« C'est ça, le colonialisme. On envahit le pays, on dépossède les habitants, on met en prison ceux qui refusent cette invasion, on emmène les hommes valides travailler dans le pays colonisateur.

– C'est pour ça qu'il y a beaucoup d'Algériens en France ?

– Avant l'indépendance, l'Algérie était un département français. Le passeport algérien n'existait pas. Les Algériens étaient considérés comme des sujets de la France. Les chrétiens étaient français. Les Juifs le sont devenus à partir de 1870. Quant aux musulmans, ils étaient appelés «indigènes». Ce terme, qui signifie «originaire d'un pays occupé par le colonisateur», est une des expressions du racisme de l'époque. Ainsi, «indigène» désignait les habitants classés en bas de l'échelle sociale. Indigène = inférieur. Quand l'armée française ou les industries avaient besoin d'hommes, on allait les chercher en Algérie. On ne demandait pas leur avis aux Algériens. Ils n'avaient pas le droit d'avoir un passeport. On leur délivrait un permis pour se déplacer. On leur donnait des ordres. S'ils refusaient de les suivre, ils étaient arrêtés et punis. Ce furent les premiers immigrés.

– Les immigrés étaient français avant?

– Ce ne fut qu'à partir de 1958 que ceux qu'on faisait venir d'Algérie furent considérés comme des Français, mais pas ceux qu'on faisait venir du Maroc ou de Tunisie. D'autres venaient d'eux-mêmes, comme les Portugais, les Espagnols, les Italiens, les Polonais...

– La France, c'est comme l'Amérique!

– Pas tout à fait. Tous les Américains, excepté les Indiens, qui sont les premiers habitants de ce continent, sont d'anciens immigrés. Les Indiens ont été massacrés par les Espagnols puis par les

Américains blancs. Lorsque Christophe Colomb découvrit le Nouveau Monde, il rencontra des Indiens. Il fut tout étonné de constater qu'ils étaient des êtres humains, comme les Européens. Parce que, à l'époque, au XVe siècle, on se demandait si les Indiens avaient une âme. On les imaginait plus proches des animaux que des humains !

« L'Amérique est composée de plusieurs ethnies, de plusieurs groupes de population venus du monde entier, alors que la France n'est devenue une terre d'immigration que vers la fin du XIXe siècle.

– Mais, avant l'arrivée des immigrés, est-ce qu'il y avait du racisme en France ?

– Le racisme existe partout où vivent les hommes. Il n'y a pas un seul pays qui puisse prétendre qu'il n'y a pas de racisme chez lui. Le racisme fait partie de l'histoire des hommes. C'est comme une maladie. Il vaut mieux le savoir et apprendre à le rejeter, à le refuser. Il faut se contrôler et se dire « si j'ai peur de l'étranger, lui aussi aura peur de moi ». On est toujours l'étranger de quelqu'un. Apprendre à vivre ensemble, c'est cela lutter contre le racisme.

– Moi, je ne veux pas apprendre à vivre avec Céline, qui est méchante, voleuse et menteuse…

– Tu exagères, c'est trop pour une seule gamine de ton âge!

– Elle a été méchante avec Abdou. Elle ne veut pas s'asseoir à côté de lui en classe, et elle dit des choses désagréables sur les Noirs.

– Les parents de Céline ont oublié de faire son éducation. Peut-être qu'eux-mêmes ne sont pas bien éduqués. Mais il ne faut pas se conduire avec elle comme elle se conduit avec Abdou. Il faut lui parler, lui expliquer pourquoi elle a tort.

– Seule, je n'y arriverai pas.

– Demande à ta maîtresse de discuter de ce problème en classe. Tu sais, ma fille, c'est surtout auprès d'un enfant qu'on peut intervenir pour corriger son comportement. Auprès des grandes personnes, c'est plus difficile.

– Pourquoi, Papa?

– Parce qu'un enfant ne naît pas avec le racisme dans la tête. Le plus souvent, un enfant répète ce que disent ses parents, proches ou lointains. Tout naturellement, un enfant joue avec d'autres enfants. Il ne se pose pas la question de savoir si tel enfant de couleur différente est inférieur ou supérieur à lui. Pour lui, c'est avant tout un camarade de jeu. Ils peuvent s'entendre ou se disputer. C'est normal. Cela n'a rien à voir avec la couleur de peau. En revanche, si ses parents le mettent en garde contre les enfants de couleur, alors peut-être qu'il se comportera autrement.

– Mais, Papa, tu n'as pas cessé de dire que le racisme c'est commun, répandu, que cela fait partie des défauts de l'homme !

– Oui, mais on doit inculquer à un enfant des idées saines, pour qu'il ne se laisse pas aller à ses instincts. On peut aussi lui inculquer des idées fausses et malsaines. Cela dépend beaucoup de l'éducation et de la mentalité des parents. Un enfant devrait corriger ses parents quand ils émettent des jugements racistes. Il ne faut pas hésiter à intervenir ni se laisser intimider parce que ce sont des grandes personnes.

– Ça veut dire quoi ? On peut sauver un enfant du racisme, pas un adulte…

– Plus facilement, oui. Il y a une loi qui gouverne les êtres à partir du moment où ils ont grandi : ne pas changer ! Un philosophe l'a dit, il y a très longtemps : « Tout être tend à persévérer dans son être. » Son nom est Spinoza. Plus vulgairement, on dira : « On ne change pas les rayures d'un zèbre. » Autrement dit, quand on est fait, on est fait. En revanche, un enfant est encore disponible, encore ouvert pour apprendre et se former. Un adulte qui croit à « l'inégalité des races » est difficile à convaincre. Les enfants, au contraire, peuvent changer. L'école est faite pour cela, pour leur apprendre que les hommes naissent et demeurent égaux en droit et différents, pour leur enseigner que la diversité humaine est une richesse, pas un handicap.

– Est-ce que les racistes peuvent guérir ?

– Tu considères que le racisme est une maladie !

– Oui, parce que ce n'est pas normal de mépriser quelqu'un parce qu'il a une autre couleur de peau...

– La guérison dépend d'eux. S'ils sont capables de se remettre en question ou pas.

– Comment on se remet en question ?

– On se pose des questions, on doute, on se dit «peut-être que j'ai tort de penser comme je pense», on fait un effort de réflexion pour changer sa façon de raisonner et de se comporter.

– Mais tu m'as dit que les gens ne changent pas.

– Oui, mais on peut prendre conscience de ses erreurs et accepter de les surmonter. Cela ne veut pas dire qu'on change vraiment et entièrement. On s'adapte. Parfois, quand on est soi-même victime d'un rejet raciste, on se rend compte à quel point le racisme est injuste et inacceptable. Il suffit d'accepter de voyager, d'aller à la découverte des autres pour s'en rendre compte. Comme on dit, les voyages forment la jeunesse. Voyager, c'est aimer découvrir et apprendre, c'est se rendre compte à quel point les cultures diffèrent et sont toutes belles et riches. Il n'existe pas de culture supérieure à une autre culture.

– Donc il y a un espoir…

– Il faut combattre le racisme parce que le raciste est à la fois un danger et une victime.

– Comment peut-on être les deux à la fois ?

– C'est un danger pour les autres et une victime de lui-même. Il est dans l'erreur et il ne le sait pas, ou ne veut pas le savoir. Il faut du courage pour reconnaître ses erreurs. Le raciste n'a pas ce courage-là. Il n'est pas facile de reconnaître qu'on s'est trompé, de se critiquer soi-même.

– Ce que tu dis n'est pas très clair !

– Tu as raison. Il faut être clair. Il est facile de dire «tu as tort et j'ai raison». Il est difficile de dire «c'est toi qui as raison et c'est moi qui ai tort».

– Je me demande si le raciste sait qu'il a tort.

– En fait, il pourrait le savoir s'il voulait s'en donner la peine, et s'il avait le courage de se poser toutes les questions.

– Lesquelles ?

– Suis-je vraiment supérieur à d'autres ? Est-il vrai que j'appartiens à un groupe supérieur aux autres ? Y a-t-il des groupes inférieurs au mien ? A supposer qu'il existe des groupes inférieurs, au nom de quoi les combattrais-je ? Est-ce qu'une différence physique implique une différence dans l'aptitude au savoir ? Autrement dit, est-ce qu'on est plus intelligent parce qu'on a la peau blanche ?

– Les gens faibles, les malades, les vieillards, les enfants, les handicapés, tous ceux-là sont-ils inférieurs ?

– Ils le sont aux yeux des lâches.

– Les racistes savent-ils qu'ils sont des lâches ?

– Non, parce qu'il faut déjà du courage pour reconnaître sa lâcheté…

– Papa, tu tournes en rond.

– Oui, mais je veux te montrer de quelle façon le raciste est prisonnier de ses contradictions et ne veut pas s'en évader.

– C'est un malade, alors !

– Oui, en quelque sorte. Quand on s'évade, on va vers la liberté. Le raciste n'aime pas la liberté. Il en a peur. Comme il a peur de la différence. La seule liberté qu'il aime, c'est la sienne, celle qui lui permet de faire n'importe quoi, de juger les autres et d'oser les mépriser du seul fait qu'ils sont différents.

– Papa, je vais dire un gros mot : le raciste est un salaud.

– Le mot est faible, ma fille, mais il est assez juste.

Conclusion

La lutte contre le racisme doit être un réflexe quotidien. Notre vigilance ne doit jamais baisser. Il faut commencer par donner l'exemple et faire attention aux mots qu'on utilise. Les mots sont dangereux. Certains sont employés pour blesser et humilier, pour nourrir la méfiance et même la haine. D'autres sont détournés de leur sens profond et alimentent des intentions de hiérarchie et de discrimination. D'autres sont beaux et heureux. Il faut renoncer aux idées toutes faites, à certains dictons et proverbes qui vont dans le sens de la généralisation et par conséquent du racisme. Il faudra arriver à éliminer de ton vocabulaire des expressions porteuses d'idées fausses et pernicieuses. La lutte contre le racisme commence avec le travail sur le langage. Cette lutte nécessite par ailleurs de la volonté, de la persévérance et de l'imagination. Il ne suffit plus de s'indigner face à un discours ou un comportement raciste. Il faut aussi agir, ne pas laisser passer une dérive à caractère raciste. Ne jamais se dire : « Ce n'est pas grave ! » Si on laisse faire et dire, on permet au racisme de prospérer et de se développer même chez des personnes qui auraient pu éviter de sombrer dans ce fléau. En ne réagissant pas, en n'agissant pas, on rend le racisme banal et arrogant. Sache que des lois existent. Elles punissent l'incitation à la haine raciale. Sache aussi que des associations et des mouvements qui luttent contre toutes les formes de racisme existent et font un travail formidable.

A la rentrée des classes regarde tous les élèves et remarque qu'ils sont tous différents, que cette diversité est une belle chose. C'est une chance pour l'humanité. Ces élèves viennent d'horizons divers, ils sont capables de t'apporter des choses que tu n'as pas, comme toi tu peux leur apporter quelque chose qu'ils ne connaissent pas. Le mélange est un enrichissement mutuel.

Sache enfin que chaque visage est un miracle. Il est unique. Tu ne rencontreras jamais deux visages absolument identiques. Qu'importe la beauté ou la laideur. Ce sont des choses relatives. Chaque visage est le symbole de la vie. Toute vie mérite le respect. Personne n'a le droit d'humilier une autre personne. Chacun a droit à sa dignité.

En respectant un être, on rend hommage, à travers lui, à la vie dans tout ce qu'elle a de beau, de merveilleux, de différent et d'inattendu. On témoigne du respect pour soi-même en traitant les autres dignement.

Juin-octobre 1997

Dossier
(1998-2018)

1. Ce que dit la loi

La loi du 1er juillet 1972, votée à l'unanimité par l'Assemblée nationale française, punit la diffamation ou l'injure raciste ainsi que « la provocation à la discrimination, à la haine ou à la violence à l'égard d'une personne ou d'un groupe de personnes en raison de leur origine ou de leur appartenance ou de leur non-appartenance à une ethnie, une race ou une religion déterminée ».

Cette loi autorise les associations antiracistes qui ont au moins « cinq ans d'existence » à se porter partie civile.

Le 9 décembre 1948, la Convention des Nations unies admit le génocide comme crime contre l'humanité. Elle le définit ainsi : « Le génocide est un crime imprescriptible commis dans l'intention de détruire en tout ou partie un groupe national, ethnique, racial ou religieux. » Les États se doivent, en principe, dès lors qu'un génocide est identifié, d'intervenir pour « prévenir » ou « punir ».

2. À la rencontre des jeunes des collèges et lycées

Entre janvier et mai 1998, je me suis rendu dans une quinzaine de collèges et lycées en France et en Italie. J'ai rencontré surtout des élèves de sixième et de cinquième qui avaient lu ce livre.

L'impression générale est que le racisme est un sujet qui les intéresse et même les préoccupe. Ceux qui ont montré le plus d'inquiétude sont des enfants d'immigrés maghrébins. Trois thèmes se dégagent de ces débats : comment lutter contre le racisme ? ; comment réussir l'intégration ? ; la peur du fascisme et du Front national, et les limites de la tolérance.

Les élèves ont été préparés par leurs professeurs. Le livre a été expliqué, commenté et discuté. Quand j'arrive, les élèves me posent des questions qu'ils ont préalablement testées avec leurs parents ou leurs professeurs.

Zahra, onze ans, de grands yeux noirs, en classe de sixième dans un collège de Montpellier : « Que pensez-vous de parents arabes qui retirent leur enfant d'une école française où il y a trop d'Arabes ? »

Je lui fais répéter la question en lui demandant s'il s'agit bien de parents arabes. «Tout à fait», me dit-elle. Je lui fais part de mon étonnement puis je me dis : «Comment expliquer à une gamine la haine de soi?» J'y renonce et préfère lui parler d'un très fort désir d'intégration. Je lui dis : «Ce sont des parents qui ont tellement envie que leur enfant soit comme les autres, comme les petits Français, qu'ils pensent qu'en le séparant des autres enfants arabes, ils le sauveront d'une éventuelle discrimination.» Zahra m'interrompt : «Mais l'enfant ne voulait pas quitter son école; ses parents sont racistes!» Le professeur principal, présent lors de la rencontre, intervient et me dit : «Il s'agit de son cas; elle en a souffert.»

De toutes les questions que des enfants m'ont posées, celle de Zahra est sans doute la plus inattendue et la plus violente. J'ai été aussi assez désemparé face à des parents qui m'ont parfois fait part de leur désarroi et leur impuissance quand ils découvrent que leurs enfants tiennent des propos racistes ou même s'engagent dans les rangs du Front national. Ils s'étonnent et disent : «Pourtant, nous avons veillé à leur bonne éducation, nous avons toujours milité dans des organisations antiracistes, etc.»

A la librairie *L'Œil au vert*, à Paris, une mère de famille m'interpelle : «Mon mari et moi, nous vivons un drame. Nos deux fils, de quinze et dix-sept ans, se font souvent attaquer par des Maghrébins. Chaque fois, j'essaie de leur expliquer qu'il ne faut pas généraliser, mais ils développent un racisme antimaghrébin. Que faire? Votre livre n'en parle pas.»

Cette même question me sera posée autrement par un collégien de Bourges : « J'ai du mal à raisonner mon père qui ne peut plus supporter les Maghrébins parce qu'ils garent tout le temps leurs voitures devant notre garage. C'est embêtant, ils veulent pas comprendre... »

Une enseignante à Reims se plaint : « Des élèves maghrébins parlent entre eux en arabe pour que je ne comprenne pas ; c'est énervant ; que faire ? »

Camille, quatorze ans, en troisième du même collège : « Où s'arrête la tolérance ? Comment réagir quand le voisin de palier oblige sa fille de quatorze ans à se marier et à porter le voile ? »

C'est Malika qui lui répond : « En France, on ne peut pas faire ça. Moi, si mon père m'oblige à me marier, j'irai me cacher chez ma meilleure amie. »

A Bazas, une ville de cinq mille habitants dans les Landes, une jeune Anglaise dit son étonnement à propos de l'ampleur qu'a prise l'affaire du foulard en France : « En Angleterre, on est plus tolérant ! »

Rachida, employée dans l'administration d'un collège à Bourges, prend la parole en s'excusant d'intervenir dans ce débat entre enfants et me demande : « Quand est-ce que vous écrirez *Le Racisme expliqué aux parents* ? » Elle évoque ensuite les difficultés qu'elle a à faire admettre à ses parents le fait d'épouser un non-musulman, un Européen. Elle poursuit : « Pour moi, c'est du racisme ; mes parents ont peur de l'étranger ; je n'ai pas envie que l'homme que j'aime se convertisse hypocritement à l'islam pour que mes parents l'acceptent. »

Houria, douze ans, classe de sixième dans un collège de Roubaix : « Croyez-vous pouvoir agir sur un enfant dont les parents sont racistes?» La même interrogation sera formulée par Sylvie, douze ans, au collège de Lomme : «Et si ma famille est raciste, est-ce que moi aussi je le suis, et est-ce que je peux leur faire la leçon?» Son amie Karine enchaîne : «Au collège, on connaît un élève qui est raciste. Il n'a pas voulu lire le bouquin. C'est pas de sa faute, c'est sa famille qui est bizarre. Nous, on a tenté d'en parler avec lui, mais il n'y a rien à faire, il ne veut rien entendre. On ne sait pas quoi faire ; on espère que vous nous donnerez des arguments…»

Malika, en seconde au lycée Anatole-de-Monzie, à Bazas ; née en France de parents algériens, elle raconte comment son frère aîné, qui vit à Toulon, a dû changer son nom et son prénom «dans l'espoir de trouver du travail et d'avoir une vie normale». Après un silence elle ajoute : «Ça n'a rien changé à sa vie parce que sa figure, il n'a pas pu la changer! Quant à moi, je me sens bien ici.»

Abdel, un enfant d'un mariage franco-algérien, lui répond : «Moi, j'ai appris à réagir contre le racisme par l'humour ; quand nous habitions à Bordeaux, je répondais par le rire aux insinuations racistes, mais ma petite sœur, elle, en a souffert, elle a des problèmes et est obligée d'être suivie par un psy.»

Tous les enfants n'ont pas cette capacité de tourner en dérision l'insulte raciste. Alors partout où je suis allé, la même question m'était posée : «Comment réagir face à une agression raciste? Vous ne dites pas dans votre livre quelle conduite avoir dans ces cas-là…»

C'est vrai, cela manque dans le livre. Je réponds

en rappelant qu'il faut réagir, ne pas laisser passer, ne pas croire qu'il existe un racisme léger, doux comme des drogues douces ou comme une limonade light, qu'il existe des lois qui punissent l'incitation à la haine raciale. Un jour, dans un collège à Montélimar, le proviseur, qui assistait à la discussion, me fit des signes. Un enseignant me dit à l'oreille : «Il faut faire attention ; il ne faut pas encourager la violence à l'école ; ici, c'est un problème grave ; les enfants risquent de croire qu'il est légitime de se battre au collège.» Je rectifie en insistant sur le fait qu'à l'insulte raciste il ne faut pas répondre par une autre insulte raciste, mais qu'il faut se calmer et profiter de cette occasion pour s'expliquer, pour en parler en classe, tous ensemble.

Andrée, en classe de cinquième au même collège, me dit : «Je n'ai jamais été soumise au racisme. Je n'ai jamais fait du racisme. Les gens du nord de l'Afrique habitant en France sont racistes envers les Français. Certains étrangers habitant en France ne tolèrent pas nos lois…» Laurent, de la même classe, abonde dans le même sens : «Le racisme est en grande partie provoqué par les Noirs et les Maghrébins envers les Blancs. A la télé, aux informations, quand un Français tue un Arabe, on en parle pendant deux semaines. Par contre, quand c'est l'inverse, on en parle pendant deux ou trois jours.» Un autre enfant de la même classe me glisse un mot : «Je ne suis pas raciste mais je n'aime pas certains Arabes car ils sont cons. J'ai été insulté de sale from par des Arabes.» Marlène : «Que l'on soit bleu, vert, noir, rouge, jaune ou blanc, on a tous un cœur et une cervelle. Je n'ai jamais été insultée et je ne crois pas avoir insulté qui que ce soit.» Comme en écho, Ariane, élève de première dans un lycée de Bazas, dit : « J'ai un aveu à faire : quand j'étais petite j'ai traité une camarade de "négresse", je n'ai jamais recommencé. »

Jessica, douze ans, en classe de cinquième dans un collège de Reims : « Si les parents et les amis ne sont pas racistes, pourquoi devient-on raciste ? »

Arthur, de la même classe : « Comment réagiriez-vous si vous appreniez que votre fille est raciste ? »

Marion : « Est-ce que votre fille a été victime de racisme ? »

Frédéric : « Avez-vous été directement victime de racisme ? »

Je les surprends quand je leur apprends que ni moi ni mes enfants n'ont été victimes de racisme, du moins de manière directe et violente. Alors des enfants maghrébins me disent que nous sommes des privilégiés.

Avant de faire cette tournée en France, je ne savais pas que des gamins entre onze et quinze ans pouvaient être si préoccupés par le Front national. Ils assimilent ce parti aux méfaits du racisme et ne comprennent pas pourquoi la démocratie française laisse ce mouvement se développer. Les classes de troisième du collège à Montpellier n'ont posé des questions que sur le danger du Front national. A Reims, Hicham, quatorze ans, me dit : « Si un jour la République n'existait plus, il y aurait une dictature qui exclurait tous les immigrés. Quelle serait votre réaction ? » Encouragé à s'expliquer davantage, il précise : « Un parti d'extrême droite risque d'instaurer une dictature et ne plus vouloir de cette République, ça pourrait être un objectif.

Si on le laisse faire, il fera ce qu'il promet de faire.»

Un autre élève maghrébin : «S'il y a des lois contre le racisme, comment se fait-il qu'un parti comme le Front national ne soit pas interdit ?» Rachid, du collège de Montpellier, pose la question autrement : «Jusqu'où doit-on être tolérant ? Est-ce que la tolérance doit s'appliquer à tous et tout le temps ?»

Là, je n'ai pu m'empêcher de faire l'éloge de l'intolérance quand la justice et la dignité des êtres sont bafouées : on ne peut tolérer l'injustice, l'humiliation et la haine meurtrière. La tolérance est une vertu tant qu'elle ne devient pas une passivité face à l'insupportable. Il faut être tolérant, c'est-à-dire respecter ce qui est différent tout en faisant la part des choses. tre tolérant et vigilant. Face au racisme militant, vengeur et cruel, la tolérance se trouve largement dépassée. Il faut alors réagir, agir et se défendre. Parfois, il s'agit de défendre son intégrité physique, sauver sa vie et celle de ses enfants.

Constance, de la même classe : «Que ressentez-vous quand le Front national progresse ?»

Noémie : «Pourquoi, dans un pays qui défend les droits de l'homme, autorise-t-on un parti comme le Front national ?»

A Bazas, la plupart des élèves viennent de milieu rural. Un enseignant me dit : «Ici, le racisme est inconnu ou presque.» A la fin de la rencontre, des enfants m'ont avoué que, sans ce petit livre, ils n'auraient pas pensé que la haine raciale existait. Dans tout le lycée, je n'ai vu qu'un seul élève à la peau noire et une Maghrébine, Malika, parfaitement intégrée, parlant avec l'accent du pays. Pas d'étrangers, pas de racisme? Pas si sûr. Car, en discutant avec les enfants, je me suis rendu compte que la question du racisme les préoccupe, même si elle n'est pas essentielle. Aurélie me demande: «Peut-on être raciste sans s'en rendre compte?» Élodie: «Qu'est-ce qui vous pousse à dénoncer publiquement le racisme?» L'unique enfant noir du collège ne dit rien. En partant, il s'approche de moi, me tend le livre pour une signature puis me dit: «Dites, monsieur, ça sert à quoi le racisme?»

Dans un collège à Roubaix, au centre d'une ZEP (zone d'éducation prioritaire), je suis soumis à une rafale de questions préparées avec leur professeur de français. La première relève une contradiction qui s'est glissée dans le livre: «N'est-ce pas une forme de racisme de dire que les enfants du métissage sont plus beaux que les autres enfants?» Cette question me sera posée dans toutes les classes où je suis allé. De même, le fait que le raciste est traité de salaud dans le livre a choqué certains. Au collège de Montpellier, Stéphanie me dit: «Vous dites: "Il faut respecter les gens même si on ne les aime pas." Mais, à la fin de votre livre, vous traitez les racistes de salauds. Alors, c'est quoi, ça?» Estelle, en cinquième dans un collège de Reims: «Avez-vous pesé le pour et le contre avant d'écrire ce livre?» Aurélie, de la même classe: «Avez-vous déjà réussi à convertir un raciste?»

D'autres thèmes, d'autres interrogations sont venus se greffer sur ces discussions. Ce sont surtout les enfants maghrébins qui ont le plus parlé de la peur, pas la peur des agressions racistes, mais la peur de ne pas trouver leur place dans la société française. Nadia, quatorze ans, me pose la question : « C'est quoi l'intégration ? Cela veut-il dire : « est-ce que moi, née en France de parents algériens, parlant arabe à la maison, je serai un jour intégrée ? » Elle rejoint la question de Zahra sur les parents arabes qui ne veulent pas que leurs enfants se mêlent aux Arabes. Elle rappelle le frère de Malika qui a changé de nom et de prénom. Ce sont surtout ces enfants de l'immigration, petits Français dont l'avenir est difficilement envisageable dans le pays d'origine de leurs parents, qui manifestent le plus d'inquiétude tout en affirmant avec leurs mots simples une belle volonté de ne pas se voir un jour exclus de ce pays et de son histoire.

Quant aux enfants de Bazas, ceux qui disent ne pas connaître le racisme, ils m'ont posé en chœur une belle question : « Comment aimeriez-vous nous voir grandir ? »

Thomas, en classe de cinquième à Montélimar, m'a donné un bout de papier sur lequel il a griffonné cette phrase : « Le racisme, c'est avoir les yeux dans la guerre. » Sur une autre page, il a écrit cette confession : « Je n'arrive pas à comprendre la bêtise des racistes. Ce n'est pas une preuve d'intelligence. Je sais que moi je suis contre le racisme, car toutes les races sont égales que l'on soit blanc, noir, jaune, c'est pareil. Depuis tout-petit, j'ai des copains différents. »

★

Réunion le 9 avril 1998 avec des élèves d'une école primaire et d'un collège dans la salle della

Protomoteca, à Campidoglio (mairie de Rome). Les enfants, âgés de dix à quatorze ans, sont accompagnés de leurs professeurs et, pour quelques-uns, de leurs parents.

Roberto, douze ans : « D'après votre livre, le racisme est plus diffusé chez les Blancs que chez les Noirs. Il existe aussi chez les Noirs. Comment faire pour qu'il ne soit ni chez les uns ni chez les autres ? » Je lui rappelle que les victimes de l'esclavage ont toujours été des gens de couleur, des Africains noirs de peau, des Indiens d'Amérique appelés « Peaux-Rouges ». Cela n'empêche pas les victimes de discrimination d'être injustes envers d'autres hommes différents d'eux.

Isabelle, treize ans, Éthiopienne arrivée en Italie à cinq ans : « Comment expliquer le fait que des personnes croient encore au fascisme après tout ce qui s'est passé ? »

Dalac, douze ans, Éthiopienne : « En plus de la peur et de l'ignorance, quel autre sentiment fait naître le racisme ? »

La bêtise.

Michele, treize ans, intervient : « Si le racisme est enfant de l'ignorance, pourquoi des gens cultivés sont racistes ? »

La culture – la connaissance, le savoir, les études – ne coïncide pas toujours avec la notion de Bien et de progrès. On peut connaître beaucoup de choses sur d'autres peuples et se comporter en supérieur, croire et faire croire que sa culture est meilleure que celle des autres. Or, ce qui caractérise les cultures, c'est leur diversité, leurs différences où n'entre aucun jugement de valeur, moral ou politique. Je rappelle un slogan noté lors d'une manifestation contre le Front national à Paris le samedi 28 mars 1998 : « L'intelligence s'arrête là où commence le racisme. »

Fabio, treize ans : « Le racisme c'est comme l'humidité. Avec le temps, la maison s'écroule. »

Silvia, dix ans : « Est-ce que, pour vous, l'homme est libre ? »

Que répondre à une gamine qui pose une question aussi grave ? Je lui dis : « Sa liberté est entre ses mains. S'il décide d'être libre, il sera libre, c'est-à-dire que personne ne pourra arrêter sa pensée. »

Guido, quinze ans, du lycée scientifique Vecchi-de-Trani (Puglia) : « Je pense que la situation en Italie n'est pas aussi critique qu'en France. Ici, nous avons quelque chose de triste : la haine de ceux qui appartiennent au Sud. Je ne crois pas qu'on puisse éliminer le racisme de manière définitive. Il m'est arrivé d'avoir des sentiments racistes à l'égard de certains clochards qui puent. En fait, ma réaction voulait dire : tu feras tout pour ne pas atteindre ce degré de dégradation. Mon racisme est préventif : ne pas se mettre en situation de provoquer le rejet des autres. »

Je lui explique que la répulsion qu'il a eue n'est pas du racisme proprement dit, mais une sorte de malaise qui a fonctionné comme un miroir éventuel. En fait, il veut dire qu'en expérimentant le racisme il n'éprouve aucune envie d'être un jour victime de ce comportement.

Elisa, quatorze ans, du même lycée, me fait la remarque suivante : « C'est facile d'expliquer le racisme à ta fille qui n'est pas raciste. Comment faire pour expliquer le racisme à quelqu'un d'intolérant et de franchement raciste?»

L'intolérance et le racisme impliquent un comportement qui exclut le dialogue. Or, comment parler à quelqu'un qui refuse d'écouter, qui n'a pas envie de vous croire et qui campe nerveusement sur ses positions? Je dirais que, face aux racistes arrogants, il faut opposer la loi. Les trois Américains blancs du Texas qui ont, le 10 juin 1998, attaché un homme noir à l'arrière de leur voiture et l'ont traîné jusqu'à ce qu'il meure, ne peuvent pas entendre un discours de raison. Seuls la justice et ses châtiments peuvent leur parler.

Giovanni, treize ans, enchaîne: «Alors, comment expliquer le racisme à un enfant dont les parents sont racistes?»

Une classe spéciale dans une école du XXe arrondissement, à Paris. Elle est composée d'élèves qui n'ont pas eu le niveau pour passer en sixième. On les prépare pour une scolarité différente. Certains rejoindront le collège, d'autres des écoles techniques et d'autres enfin partiront d'eux-mêmes, car l'échec scolaire leur colle à la peau. Les élèves ont entre douze et quatorze ans. Ils sont en majorité des enfants de familles pauvres, immigrées. Le fait de se retrouver dans une telle classe a une double signification: reconnaissance de l'échec scolaire; perspectives de plus en plus réduites. Ils en sont conscients et en parlent avec franchise et lucidité. Il y a aussi du désespoir dans leurs paroles. Le racisme est vécu ici comme la conséquence de l'exclusion qui les attend, car ils savent que ces classes spéciales sont souvent des salles d'attente avant le rejet et le renvoi dans la rue.

Les enseignants font ce qu'ils peuvent. Ils ont du mérite, non seulement d'enseigner, mais aussi de donner de l'espoir et du courage à des adolescents qui constatent que la société n'arrive pas à les sauver et à les intégrer. Alors ils se tournent vers les autres et font des remarques empreintes d'un certain racisme, expression de colère et de désespoir :

Rachid, de parents algériens, né en France, quatorze ans, le plus bavard de la classe, le plus inquiet : « Pourquoi les Arabes, les musulmans, sont mal habillés, balaient les trottoirs, ont les mains sales parce qu'ils font des travaux manuels pénibles, et, de l'autre côté, pourquoi les Juifs portent des costards impeccables, dirigent dans les bureaux, travaillent dans les banques ou les hôpitaux ? Je veux savoir pourquoi nous sommes toujours mal notés, nous sommes les derniers… »

« Pourquoi les Juifs ? » lui demandai-je.

Un silence, puis il me dit : « Parce qu'ils ne nous aiment pas. »

Pourtant, Rachid avait lu le livre. Il savait ce que les Juifs avaient enduré et combien ils ont été persécutés. Mais il me reproche de ne pas avoir dit qu'ils sont aujourd'hui « injustes et méchants avec les Arabes ». Il voulait parler du conflit israélo-palestinien.

Cette remarque rejoint la question de Zahra, de la classe de sixième dans un collège de Montpellier, qui avait souffert du fait d'avoir été retirée d'une école où les parents avaient jugé qu'il y avait trop d'Arabes. L'image des Arabes est assez dévalorisée.

Les enfants le ressentent dans leur propre vie et dans leurs rapports aux autres. Ce racisme-là, expression de la haine de soi, est renforcé par la misère de l'échec, qu'il soit scolaire, professionnel ou économique. Un enfant qui voit qu'il n'a pas d'avenir dans ce pays et avec cette société est fragile psychologiquement. Les repères lui échappent. La confrontation au quotidien avec les autres excite ses pulsions. L'échec scolaire est mis sur le compte d'un sentiment de rejet généralisé. Alors qu'en principe le fait d'être défavorisé économiquement devrait l'inciter à travailler davantage pour s'en sortir, dans certains cas la pauvreté provoque des réactions inverses, de défaite et de démission.

L'école publique, laïque et républicaine est une formidable machine pour l'intégration des enfants issus de l'immigration. Mais, pour que cette intégration soit complète, un travail doit être fait auprès des familles et de l'environnement immédiat (les médias ont un rôle essentiel dans cette lutte au quotidien). Sinon, le racisme profite des failles et des brèches pour s'infiltrer et s'installer dans les mentalités, que ce soit pour se défendre ou pour pallier une fragilité de raisonnement et de perception.

★

Certains enfants m'ont remis des textes qu'ils avaient écrits à l'occasion de ma visite.

Une élève de Montélimar m'a remis ce poème écrit pour ma fille Mérième :

Magnifique jeune fille
Étendue entre les quilles
Riait sous la lune qui brille
Indienne ou marocaine
Elle filait la laine
Mignonne et sans haine.

Trois garçons du même collège, ont écrit cet autre poème :

Rouge, bleu, vert ou noir
A la couleur d'Afrique
Casse-t-elle la vie ?
Irait-elle jusque-là ?
Sa vie n'est pas une honte
Mais les nôtres n'aiment pas ça
Est-ce mortel d'accepter un pays tremblant
d'amour ?

Enfin, ce poème de Romain, en classe de sixième :

Tant que le racisme existe
Attendre est inutile
Hachure le mot racisme
Accorde la paix aux étrangers
Rajoute un zeste de paix.

3. Des réactions de lecteurs

J'ai reçu beaucoup de lettres, toutes intéressantes, stimulantes. Sur le millier de lettres reçues, il n'y en eut guère plus de quatre ou cinq agressives, franchement racistes, et surtout violemment anti-arabes. J'ai fait un choix très limité parmi les lettres critiques mais positives, celles qui veulent contribuer à une réflexion sincère sur les problèmes que pose le racisme en général, et plus particulièrement en France. Des correspondants ont même eu la gentillesse de faire leur ce petit livre et de parler de «notre livre» pour dire «notre combat». Ceux-là ont corrigé certaines erreurs contenues dans une des premières éditions.

Les mots:

Ainsi, j'ai eu la maladresse d'écrire «les Allemands» en pensant aux nazis qui s'activaient déjà en 1933.

M. Lorneanu m'écrit :

Je pense que, même si vu de France on a peu entendu d'Allemands s'élever contre le discours antisémite des nazis, il est préjudiciable à la bonne tenue de votre présentation qui insiste sur le problème des généralisations abusives, à l'exactitude des faits, à la bonne entente que nous voulons renforcer avec nos voisins, il est préjudiciable d'écrire Allemands et non nazis à ce moment de votre démonstration.

Une autre remarque : Vous écrivez : « Les Noirs […] eux aussi ont des comportements racistes ». Permettez-moi de suggérer que « les Noirs sont comme tout le monde : certains d'entre eux peuvent avoir des comportements racistes ».

J'ai aussi reçu une belle lettre à propos du mot *handicap* que j'ai utilisé sans penser que la définition de ce mot est double, littérale et sociale. Voici des extraits de la lettre de M. Patrick Prieur (La Rochelle) :

Page 55, vous écrivez : « … la diversité humaine est une richesse, pas un handicap ».
L'emploi de ce mot est malvenu, voire dangereux. Vous ne faites aucune remarque à ce sujet, c'est dommage et – je le répète – dangereux, le transfert « péjoratif » lié au mot *handicap* accentue l'infirmité qui met quelqu'un en état d'infériorité physique ou mentale, victime d'un racisme plus masqué car il n'est pas directement violent, au contraire, semble bienveillant en apparence « par amour de son prochain », « par pitié », etc.
L'histoire des camps de concentration de la Seconde Guerre mondiale nous rappelle que les handicapés furent les premiers arrivés.

Le handicap d'un être humain dérange car, consciemment ou inconsciemment, rappelle à la fragilité humaine, et je vous rejoins sur le fait que le raciste n'aime pas ce qui le dérange, il a peur. Les enfants ne reconnaissent pas l'enfant handicapé, il n'existe pas, c'est un enfant, le dérapage est plus tardif et j'espère comme vous que l'école luttera fortement contre le racisme mais évitera d'y associer le mot handicap qui a une forte consonance sociale, et « racisme handicap », ces deux mots associés créent des maux et ne contribuent pas à extraire de l'exclusion les personnes handicapées.

Je vous donne raison sur l'utilisation du mot handicap. Dans cette nouvelle version, il a été remplacé par « obstacle, appauvrissement ». Je n'ai pas voulu évoquer, dans un livre sur le racisme, le problème du rejet (méfiance, peur, réticence) de la personne handicapée. C'est un autre problème semblable à ce qu'on appelle, trop rapidement et sans réfléchir « le racisme anti-jeunes ou anti-vieux ».

M. Da Piedade (Gonesse) :

Il faut commencer par donner l'exemple et faire attention aux mots qu'on utilise. Malheureusement, je pense qu'à votre corps défendant vous avez commis une erreur à deux reprises :
1) page 41 : « [...] comme un homme de couleur pourrait être raciste ».
2) pages 54 : « En revanche, si ses parents le mettent en garde contre les enfants de couleur, alors peut-être qu'il se comportera autrement. »
Généralement, les hommes noirs dont je suis sont désignés comme des hommes de couleur (par pudeur, par dégoût, par habitude, pour ne pas dire

noir...), comme s'ils étaient différents des autres, en l'occurrence des Blancs qui sont censés ne pas avoir de couleur. On peut donc comprendre que les Blancs sont la norme et que les Noirs sont définis par rapport à la norme, ils sont donc hors norme, voire anormaux. Or j'ai toujours appris à l'école que blanc, noir, jaune, vert, rouge... étaient des couleurs. Ce principe étant posé, pouvez-vous me dire maintenant qui peut-on appeler «homme de couleur»?

Cette remarque se veut bien entendu constructive, car ayant travaillé comme animateur, directeur de centre de loisirs et maintenant directeur d'un service de l'enfance, je suis particulièrement sensible à tous ceux qui œuvrent pour faire avancer le discours contre le racisme.

M.Nyhan (Nice) fait remarquer :

L'utilisation de mots contraires à notre sensibilité d'être humain ne doit pas devenir une chasse aux sorcières, puisque si nous les condamnons, cela ne les empêchera pas d'exister. En outre, à les condamner, nous ne les vidons pas de sens, tandis que nous les affublons de la couronne de l'interdit, qui ne fait qu'encourager la provocation, en nous retranchant derrière le politiquement correct. Ne tendons pas le piège pour nous faire piéger. [...] Ne soyons pas racistes envers les mots. Et ne professons pas la dictature des mots.

Salaud

Beaucoup de correspondants ont protesté contre l'utilisation du mot «salaud» qu'utilise Mérième à la fin du dialogue.

M. Hissette (Bruxelles) écrit :

Je condamne le racisme comme vous le faites ;
je considère le raciste comme responsable de ses
paroles et de ses actes et donc condamnable pour
ce qu'il *dit* et *fait* (de raciste). Mais je ne puis le
condamner pour ce qu'il EST.
Confondre les paroles et les actes avec les personnes elles-mêmes me paraît bien trop réducteur
et dangereux même. Ne sommes-nous pas tous
PLUS que ce que nous disons et faisons ? [...]
Je dirais donc de préférence ceci : le raciste n'est
pas un salaud, mais ce qu'il dit et fait de raciste
est salaud.

M. Gache (Saint-Rémy-lès-Chevreuse) est plus
direct :

Vous dites : "il faut respecter les autres"... mais
à la fin de votre livre vous traitez les racistes de
salauds. Alors une question se pose : comment
une remarque de bon sens venant d'une enfant
de collège a-t-elle pu échapper à un autre grand
donneur de leçons et aussi sûr de soi ?

L'utilisation du mot « salaud » est une boutade.
Elle n'est pas réfléchie ; j'aurais dû expliquer davantage
à Mérième la distinction entre ce qu'on fait et ce qu'on
est.

Le même genre de remarque m'a été fait à propos de
la phrase « en général les métis sont beaux ». Des enfants
(non métis) ont protesté, d'autres ont souri en disant que
l'auteur avait lui aussi des préférences. En fait, ce fut
aussi une boutade, une légère dérive vers la subjectivité.

Mais comme m'écrit M. Bancal (Le Chesnay) :

J'aurais tendance à dire «ni plus ni moins [beau] que n'importe quel autre être humain». Et si le métissage peut être une source d'enrichissement culturel, il peut être aussi la marque d'un rapport de force ; cela a été souvent le cas dans le passé avec les colonisateurs, qui se «servaient» en femmes dans les populations autochtones, que ce soit les colonisateurs européens ou les conquérants arabes après l'Hégire, colonisation plus ancienne mais non moins discutable, comme peuvent le constater les Berbères.

La colonisation

Comme pour le mot «handicap», certains lecteurs ont contesté l'utilisation du concept de colonisation dans un livre sur le racisme. Ils pensent que l'occupation de certains pays d'Afrique, du Maghreb ou d'Asie partait d'un ensemble de bonnes intentions.

Mme Larralle (Périgueux) écrit :

Je vous parle avec mon cœur. Dans ma jeunesse, je travaillais dans une crèche à Agadir, et je vous assure que les petits Marocains étaient aussi bien dorlotés et chouchoutés que les petits Français. Ma belle-mère, qui habitait Marrakech, soignait de ses propres deniers des enfants dans le bled… En France, il y a des gens de votre pays qui aident gentiment et bénévolement aussi.
En 1995, j'étais à Agadir, heureuse de revenir dans

ce si joli pays, de voir sa reconstruction. J'ai eu des regrets pour l'invasion des papiers et autres sacs d'emballage qui proviennent des supermarchés, j'ai fait quelques achats, notamment des cartes postales, et en sortant du magasin, un Marocain de quarante-cinq ans environ m'a dit sans que je dise quoi que ce soit : « Je n'aime pas la France, et je hais les Français. » Je n'ai pas répondu, mais en moi-même je me disais «... peut-être est-ce un de mes petits d'autrefois... ». Pour moi, c'était triste. [...]

Je suis allée au Vietnam en 1997. Je vous assure que nous n'avons pas à avoir honte des écoles, des routes, des hôpitaux, des ponts construits par des Français. Les Vietnamiens circulent toujours dessus, et je ne pense pas que ceux qui ont fait tant de choses là-bas pensaient tous charbon, cuivre, or...

Votre livre était difficile à écrire, mais il faut dissocier État et peuple, et vous ne le dites pas assez fort.

Les croisades

M. Port (Ploermel) m'écrit à propos des croisades :

Sur le fait des croisades, et plus précisément sur les motifs qui ont conduit Urbain II à inviter les chrétiens à se mettre en marche vers Jérusalem, vous avez pu, comme moi, consulter des sources occidentales et orientales, considérées comme sérieuses ; et y lire que ce mouvement a été déclenché par des événements-causes touchant au domaine religieux sans connotation de racisme. Ce dérapage de votre plume, je le regrette d'autant plus que je suis un lecteur intéressé, attentif, et parfois ému ou admiratif. Une décennie vécue sur les berges du canal de Suez (1947 à 1957) a ouvert, en effet, ma curiosité et mon attention à l'égard du monde arabe, de l'islam, des problèmes du Moyen-Orient : un monde tout autre. Belle occasion de vivre au quotidien le racisme ou le non-racisme.

Inutile donc, me semble-t-il, d'ajouter que ma controverse ne repose sur aucun préjugé raciste.

Une institutrice retraitée, Mme Noël :

J'ai donc lu, page 28 : «Des milliers de chrétiens partirent [...] massacrer des musulmans.» C'est vrai, et j'ai honte en tant que chrétienne. Mais pourquoi ne dites-vous pas à votre fille qu'en 647 les Arabes ont envahi l'Afrique du Nord chrétienne et ont massacré les Berbères pour les convertir à l'islam ?

Vous dites : «Entre le XIe et le XVe siècle, les chrétiens d'Espagne ont expulsé les musulmans.» Il aurait peut-être fallu lui préciser que ces derniers avaient envahi l'Espagne à la suite de l'Afrique du Nord, puis la Gaule jusqu'à Poitiers... (Heureusement que nous avons eu ce brave Charles Martel !) Je ne pense pas que ces conquêtes se soient faites avec des sucres d'orge. Ces conquistadores musulmans, aidés par de belliqueux Berbères, savaient manier le sabre et le couteau. (Ils savent encore, voyez en Algérie, hélas !!! Là aussi, c'est du racisme envers les femmes.) Je ne parle pas du malheur des Juifs, car, de tout temps, ils ont été persécutés. Mais, mais... ils sont eux-mêmes racistes...

Pour ne pas créer de racisme, il faut raconter l'histoire sous toutes ses facettes même si les actes de nos propres ancêtres nous font honte. Aucun groupe ethnique n'a complètement tort ou raison.

Vivre au quotidien

Mme Boudard (bibliothécaire à Besançon) m'a écrit une longue lettre pour dire sa déception :

La majorité des enfants de huit ans que je côtoie ne seront malheureusement ni attirés ni accrochés par la présentation et le texte de votre livre. Je conteste le contenu beaucoup trop théorique et idéologique de ce livre. Puis-je me permettre de vous parler de mon expérience de mère de famille ? Quand mes enfants étaient petits et que nous habitions un village peuplé à 100 % de « Français de France », nous rencontrions des étrangers uniquement pour des échanges de sympathie, voire d'amitié. Il m'était alors extrêmement facile d'expliquer à mes enfants que Noirs et Blancs se valent et que les hommes naissent libres et égaux en droits, comme en témoignent la plupart des albums pour la jeunesse.
Les choses se sont gâtées quand nous sommes venus habiter en ville dans un quartier peuplé d'immigrés. [...]
Mon fils, se plaignant d'être agressé verbalement (« ils me traitent ») et physiquement, a pris en grippe les Maghrébins. J'avais beau lui répéter que toutes les races se valent, etc., etc. (cf. le contenu du livre), il se sentait incompris, se butait et s'est mis à sympathiser avec des jeunes aux idées d'extrême droite qui, au moins, savaient l'écouter. Heureusement, lors d'une conférence sur l'éducation des ados, j'ai compris que je ne savais pas entendre mon fils. Quand il me parlait, j'attendais

qu'il ait fini sa phrase pour lui expliquer avec mes bons arguments d'adulte qu'il ne fallait pas être raciste.

Je me suis mise à l'écouter vraiment et j'ai dû convenir avec lui qu'il était extrêmement désagréable de se trouver à un arrêt de bus en face de jeunes qui vous «traitent» et que ces jeunes étaient toujours d'origine maghrébine.

J'ai dû reconnaître que, si je le laissais seul à la piscine, il risquait de se faire agresser. C'est vrai aussi qu'un jeune doit éviter de passer dans certains quartiers en vélo de crainte de se voir délester de son bien. Et pourtant moi, ces quartiers, je les traverse chaque jour à pied sans problème. Les jeunes que je croise me saluent gentiment. Pourquoi m'obstiner à lui dire que tout le monde avait la même mentalité quand son copain entendait une mère algérienne dire à son fils: «Ramène-moi un vélo et je te donnerai 200 francs»?

J'ai cessé de me boucher les yeux devant la réalité et j'ai changé de discours. J'ai dit à mon fils: «Parmi les Français, il y a des gens que tu aimes, il y a une majorité qui te sont indifférents et il y en a que tu aimes (deux de ses meilleurs copains étaient iraniens!); il y a une majorité qui te sont indifférents et tu as le droit de ne pas aimer ceux qui se montrent voleurs ou agressifs, voire violents. Ce n'est pas l'Arabe que tu n'aimes pas, c'est le voleur. Je te demande simplement de tous les respecter.»

J'ai tenu les mêmes propos à une amie institutrice dans une classe particulièrement difficile de la banlieue parisienne. Elle me disait: «Marie, je crois que je deviens raciste, je n'en peux plus des Arabes de ma classe.» Suivait le récit de son année scolaire sans cesse perturbée, notamment par un garçon d'origine maghrébine d'âge indéterminé. Quand il a été question de partir en classe verte, aucun des accompagnateurs n'acceptait de l'emmener. Mon amie a pris sa défense et obtenu qu'il parte comme les autres enfants. En moins d'une semaine dans une nouvelle structure d'accueil, l'élève a causé délibérément de graves dégradations sur des œuvres d'art. Mon amie a dû faire intervenir l'assurance pour payer le prix exorbitant des réparations, étouffer l'affaire pour éviter le scandale, etc., etc. «C'est toujours les Arabes», me disait-elle. Je lui ai dit que sa révolte légitime ne relevait pas du racisme parce qu'elle aurait éprouvé le même sentiment à l'égard d'un Français ou de tout autre enfant qui aurait eu ce comportement. «C'est le comportement que tu condamnes et non pas l'être humain, ni sa famille, ni sa race.» […]

Je ne suis pas raciste, mais...

Mme Divry (Charleville-Mézières) avoue que la lecture du livre l'a laissée perplexe :

J'avais pensé, dans un premier temps, l'offrir à ma filleule, âgée de onze ans et qui est raciste... mais votre livre ne peut convaincre que quelqu'un qui n'est pas raciste ou quelqu'un d'ouvert (... donc très jeune) qui n'a pas été déformé par l'éducation qu'il a reçue et le vécu qu'il a pu subir. Que faire pour les autres ? La peur de l'étranger est une idiotie certaine, mais cette peur est fondée sur un vécu indéniable (agression, violence verbale, vandalisme). […] Je suis professeur dans un lycée tranquille de centre-ville et j'ai peur pour mes élèves d'origine arabe, car je sais qu'ils peuvent être victimes de n'importe quelle brimade ou, pire, «ratonnade». Faut-il se dire que c'est inévitable... que les bons payent toujours pour les mauvais ?

Mme Lyonnet (Cergy-Village) est considérée raciste par certains membres de sa famille :

En fait, je pense que j'exprime simplement tout haut ce que beaucoup pensent tout bas, mais n'avoueraient à aucun prix, de peur justement d'être traités de racistes. Je trouve en effet tout à fait normal d'expulser un étranger en situation irrégulière ou ayant commis une infraction sur le territoire. Je trouverais également logique de supprimer les allocations familiales aux familles incapables de «tenir» leurs enfants, toutes origines confondues évidemment. Je reconnais être choquée lorsque je me retrouve seule «Blanche» à la caisse d'un supermarché, ou lorsque à la sortie des écoles je constate que les trois quarts des enfants sont «colorés» (expression entendue récemment de la bouche d'un policier). Les salles d'attente des Allocations de l'ANPE et de la Sécurité sociale (où j'ai même vu les consignes rédigées en arabe) sont également remplies en majorité d'étrangers. Ajoutez à tout cela les médias qui, mine de rien, y vont de leur bourrage de crâne insidieux, et nous arrivons à ce que l'on pourrait appeler un racisme de ras-le-bol, du trop c'est trop, l'impression d'être envahi, de ne plus être chez soi.
Et pourtant, sincèrement, je ne pense pas être raciste au sens littéral du mot. Il n'y a pas pour moi de race supérieure, mon seul critère de jugement est et restera la valeur humaine. [...]

M. Francis B. militant à Amnesty International s'interroge sur l'image de l'Islam :

Quand j'entends quelqu'un dire : «C'est du boulot arabe !», je dis toujours : «Quel compliment !».
Savez-vous que les Arabes ont apporté à la France

beaucoup de connaissances : nombres, algèbre, géométrie, médecine, astronomie, etc.

Hélas, je ne peux pas être précis dans cet argument. Pouvez-vous m'aider et me dire ce que vous pensez de ma réponse à la réflexion : « C'est du boulot arabe ! »

Je suis très attaché aux droits de l'Homme. Je milite à Amnesty International.

J'ai mon cœur déchiré car, à ma plus grande honte, je crois être raciste, bien que ma meilleure amie soit noire !

J'ai peur de l'Islam. Ce qui se passe en Afghanistan est horrible.

J'aimerais que vous me disiez si le Coran est compatible avec la déclaration universelle des droits de l'Homme.

Est-ce que le livre sacré des musulmans dit que l'on doit appliquer la peine de mort, lapider les femmes adultères, pratiquer l'excision, la flagellation, l'amputation, interdir la musique et l'image, etc.

J'ai une vision cauchemardesque de l'Islam et je serais tenté de croire que c'est la religion la plus dangereuse au monde… Je suis catholique et je suis conscient que ma religion a beaucoup de choses à se reprocher : l'Inquisition, le massacre des protestants, l'intégrisme, etc. »

Anecdotes

De Mme Aird (Ontario, Canada) :

Lorsque ma fille avait quatre ans, lors d'une promenade dans notre petite ville où nous ne rencontrions à l'époque presque jamais de personnes d'ascendance africaine, nous voyons venir en notre direction un bel homme de très haute stature, aux traits africains, à la peau presque d'ébène. Lorsqu'il nous a croisés et qu'il est à quelques pas derrière nous, ma fille me demande si je pense qu'il est hollandais. Je suis surprise de sa question ; je n'ai vu que des traits africains, une peau de couleur très foncée. « Pourquoi penses-tu qu'il est hollandais ? » lui demandai-je. « Eh bien, me dit-elle, c'est parce qu'il porte des sabots. » Je me retourne et, en effet, le jeune homme portait des sabots. Cela m'a fait chaud au cœur.

M. J.-M. Luscher (Genève) :

Je reviens de la crèche avec Camille. Elle a trois ans et demi. Ce jour-là, elle est très contente parce qu'elle s'est bien amusée avec Blaise.
– Bien... et c'est qui, Blaise, c'est lequel de tes copains ?
– Tu sais, c'est celui qui a le pull rouge.
– Non, je ne vois pas. Il est comment ?
– Ben... j'sais pas... il a un pull rouge !
Sans plus insister, j'attends le lendemain matin, où, de retour à la crèche, je demande à Camille de me montrer son copain Blaise. Elle me le désigne. Il a encore son pull rouge. Il a effectivement l'air sympathique et il me fait un large sourire. Ce sourire lumineux qui éclaire le visage tout noir des petits Africains !

★

Un article du journal *Le Monde* du 8 avril 1998 :

Une équipe de chercheurs de l'université d'Helsinki vient, pour la première fois, de mettre en évidence le lien entre consanguinité et extinction de populations isolées [la consanguinité est le lien qui unit les enfants issus du même père].

Les dangers de la consanguinité prouvés par des papillons

Pour la première fois, des chercheurs viennent de prouver, sur le terrain, que la consanguinité favorise la disparition de populations relativement isolées les unes des autres. En étudiant le damier, un papillon européen fort commun habitant l'archipel Åland, un ensemble d'îles situées entre Finlande et Suède, une équipe de l'université d'Helsinki a montré que le risque d'extinction augmentait de manière significative chez les lépidoptères dont la richesse génétique avait été affaiblie par des unions entre parents proches.

Les conclusions de ces biologistes finlandais, rapportées par la revue scientifique Nature *du 2 avril, ne sont que la face émergée d'un travail de plusieurs années. Entre 1993 et 1996, avec l'aide d'étudiants embauchés pour l'été, ces scientifiques ont quadrillé quelque 1 600 prairies où poussent le plantain et la véronique à épis, les deux plantes dont se nourrit la chenille du damier. [...] l'année d'existence du damier est réglée comme une horloge, quasiment au jour près. L'accouplement et la ponte des œufs ont lieu en juin. Regroupées en paquets de 50 à 250 larves, les chenilles se nourrissent jusqu'en août. Elles font ensuite une pause, puis reprennent leur festin glouton en mars de l'année suivante; enfin, le papillon sort de son cocon en mai. Il ne lui reste que quelques semaines pour se reproduire.*

[...] Les chercheurs finlandais ont extrait du modèle établi à partir de leurs observations toutes les données extérieures (conditions météorologiques, pénurie de

nourriture, taille des prairies et des populations, distance séparant celles-ci, etc.) qui pouvaient conduire à la disparition de tel ou tel groupe de papillons. Une fois ces soustractions effectuées, ne restait plus, sur leur calculatrice, que la part de la consanguinité, soit 26% des causes d'extinction.

On a constaté que ces populations isolées (ne se reproduisant qu'entre elles) présentaient un succès reproducteur moins important que la moyenne. Cela vient du fait que la taille du groupe de larves et le poids de chacune d'elles sont plus bas que la normale; les papillons femelles vivent moins longtemps et, par conséquent, pondent moins d'œufs. Dernier point, le temps passé dans le cocon est plus long que la moyenne, ce qui favorise le parasitisme.

(Pierre Barthelemy,
Le Monde, 8 avril 1998)

En quoi cela nous concerne-t-il? Ces papillons ont été appauvris parce qu'ils ne se mélangeaient pas à d'autres groupes, différents d'eux. Cette expérience scientifique montre que la consanguinité (le fait de se marier à l'intérieur du même clan, de la même famille) peut être dangereux car c'est un appauvrissement génétique. Le mélange (le métissage) fait peur à certains. Une chercheuse de l'université de Montpellier II, Isabelle Olivieri, dit: «On se heurte à une forte résistance psychologique, à une espèce de racisme qui veut qu'on évite de faire des mélanges de populations. Une idée de pureté de la race traîne encore dans les esprits.»

★

Notes :

Le chiffre de cinq millions de Juifs tués dans les camps de concentration et les chambres à gaz par les nazis est donné par l'historien américain Raul Hilberg dans son livre *La Destruction des Juifs d'Europe* (Fayard, 1988). Le chapitre x du livre commence par cette phrase : « Les Allemands tuèrent cinq millions de Juifs. »

Pour ce qui est du génocide des Arméniens, la référence est le livre d'Yves Ternon, *L'État criminel, les Génocides au xxᵉ siècle*, aux Éditions du Seuil, 1995, Paris.

4. La montée des haines
(Poursuite du dialogue)

Sept ans après le dialogue avec Mérième, âgée à l'époque de dix ans, nous avons constaté, tous deux, que non seulement le racisme n'a pas reculé mais qu'il s'est banalisé et dans certains cas aggravé. Nous avons essayé de comprendre ses nouvelles manifestations : la montée de l'antisémitisme et de l'islamophobie dans les collèges et les lycées. Nous avons aussi essayé d'expliquer en quoi la loi sur la laïcité s'imposait.

*

– Papa, quelle est la différence entre **antisémitisme** et **judéophobie** ?

– L'antisémitisme est la haine de tous les peuples sémites. Les Juifs et les Arabes sont des Sémites, mais depuis la **Shoah,** depuis le génocide où cinq millions de Juifs ont été massacrés par les nazis, on a réservé ce terme au racisme anti-juif.

– Quelle est la différence entre antisémitisme et racisme ?

– L'antisémitisme est le racisme spécifique contre les Juifs, à cause de la tragédie qu'ils ont vécue, résultat d'une entreprise monstrueuse et systématique qui a fait d'eux un groupe humain persécuté, méprisé puis détruit, on fait une différence entre ce racisme-là, particulier, et les autres racismes. C'est une nuance imposée par l'Histoire.

– Et la judéophobie ?

– La judéophobie est un antisémitisme qui ajoute la crainte et la peur à la haine ; le mot **« phobie »** signifie « peur ». La peur du Juif peut s'exprimer par de la méfiance, de la suspicion, du mépris ou même de l'envie ; elle se manifeste par des agressions verbales ou physiques, des insultes, des bagarres, par la profanation des tombes où reposent des Juifs, par l'incendie de synagogues, etc. C'est ce qui a été constaté ces derniers temps, principalement dans certaines banlieues et villes connues pour leur taux élevé de délinquance où vivent des jeunes en échec scolaire, désœuvrés, sans éducation, parfois livrés à eux-mêmes. Comme l'a écrit la philosophe Hannah Arendt (1906-1975 ; née à Hanovre, a fui le nazisme en 1933 ; a été naturalisée américaine en 1951) : « Comprendre, c'est regarder la réalité en face avec attention, sans idée préconçue, et lui résister au besoin, quelle que soit ou qu'ait pu être cette réalité[1]. » Alors, il faut faire l'effort de comprendre.

– Pourquoi des jeunes qui ne réussissent pas leur scolarité, ou qui sont mal dans leur peau, s'en prennent-ils aux Juifs ?

1. *Sur l'antisémitisme (Les Origines du totalitarisme*, tome 1*)*, Seuil, coll. « Points Essais », n° 307.

– Parce que, autour des Juifs, persistent des clichés, des préjugés qui les désignent comme à la fois coupables et responsables dès qu'une crise sociale ou économique se fait sentir. On en veut aux Juifs parce qu'ils sont une minorité. Même en France où leur nombre est de l'ordre de sept cent mille, ils sont considérés comme une minorité importante sur le plan historique et culturel. En outre, un des clichés très répandus sur cette minorité, c'est que les Juifs réussiraient partout, contrôleraient les finances et les moyens de communication. Ce qui se disait à leur propos avant Hitler en Allemagne, en Autriche, en France ou en Pologne, revient soixante ans après. On entend de nouveau parler de «juiverie dominant les banques et les médias», de «lobby juif agissant dans les coulisses du pouvoir». Les préjugés sont têtus et finissent par devenir meurtriers. L'antisémitisme racial – la haine du Juif en tant que Juif – est une idéologie apparue au XIXe siècle. Elle est toujours là.

– Mais il n'y a pas qu'un problème lié au statut de minorité…

– Bien sûr, il y a d'autres éléments qui expliquent cette montée de la judéophobie; en plus d'être historiques ils sont liés à des problèmes de politique internationale. Mais les adolescents qui en veulent aux Juifs et les insultent sont eux-mêmes souvent victimes de rejet et de racisme. Ils sont mal vus, mal considérés par une partie de la société. Quand ils s'en prennent aux Juifs, ils le font plus par jalousie que pour des raisons directement politiques. Ils leur reprochent d'être «friqués et de porter des marques». En même temps, on leur reproche d'être avares;

d'où l'insulte : « radin comme un feuj ». Parfois, c'est aussi stupide que cela.

– Oui, mais les Juifs et les Arabes qui se disputent sont tous des Français !

– Il faut rectifier : cette montée de la judéophobie n'est pas seulement le fait des jeunes Arabes, beaucoup de jeunes, Français de souche ou d'autres origines non arabes issus, souvent de milieux défavorisés, participent à ces incidents. Il faut rappeler que les scores du Front national, parti qui a banalisé le racisme tous azimuts, se maintiennent aux alentours de 17 % des voix aux différentes élections.

– Oui, dans les médias, on montre souvent des jeunes d'origine maghrébine s'opposant à des Juifs. On fait témoigner de jeunes Juifs ayant été insultés par des jeunes Arabes au collège ou dans la rue. On ne montre pas assez ce qui se passe de l'autre côté, du côté des jeunes non juifs.

– Il est vrai que, généralement, on attribue ces incidents aux jeunes d'origine maghrébine ; de jeunes Antillais, des Africains ou simplement des Français de souche participent à cette judéophobie. Parfois, ce sont les mêmes qui en veulent aux Arabes et leur attribuent la faute de tout ce qui ne marche pas dans les banlieues. Il n'y a pas de racisme sélectif. C'est en ce sens que la judéophobie s'accompagne d'un racisme anti-arabe, anti-noir...

– Comment ?

– Par un effet de contagion. Je te donne un exemple : dans la nuit du 19 au 20 avril 2004, des croix gammées ainsi qu'une inscription « Mort aux Arabes » ont été tracées sur le portail d'une mosquée à Strasbourg. Puis il faut que je te rappelle un fait important : ce sont des Européens qui ont envoyé à la mort des millions de Juifs ; il y avait les nazis allemands, les fascistes italiens, les franquistes espagnols puis les milices françaises qui collaboraient avec l'occupant allemand. Les Arabes ne sont pas responsables de cette horrible tragédie ; c'est une raison supplémentaire pour ne pas tomber dans l'antisémitisme. Ils devraient être les premiers à dénoncer ce racisme meurtrier. Non seulement les Arabes n'ont aucune responsabilité dans ce qui s'est passé en Europe durant la Seconde Guerre mondiale, mais le nazisme, s'il avait gagné la guerre, les aurait aussi exterminés puisqu'ils ne sont pas des Aryens.

– Mais ce qu'on retient, dans mon lycée en tout cas, c'est que les Arabes et les Juifs ne s'aiment pas. Du coup, ils ne se fréquentent pas, chaque groupe s'isole et s'entoure de méfiance. Un élève a dit : « Pourquoi les Arabes, qui sont si nombreux et qui ont plusieurs États dont certains sont très riches en pétrole, ne donnent-ils pas un espace pour les Palestiniens et ne laissent-ils pas les Juifs vivre en paix en Israël, ce tout petit pays ? »

– C'est un argument caricatural qui ne tient pas compte de l'Histoire ; ce n'est pas aussi simple. Une même terre est revendiquée par deux peuples.

– Mais Juifs et Arabes s'ignorent ; il n'y a pas d'ébauche de dialogue. Personne n'ose aborder la question. Dans mon lycée, il y a peu d'élèves arabes mais les juifs, qui sont plus nombreux, ont le réflexe de se regrouper et de ne pas discuter avec les autres.

– Ton lycée n'est pas représentatif. Dans la plupart des établissements des banlieues de Paris et certaines villes de province, le nombre d'élèves arabes est beaucoup plus important que celui des élèves juifs. Cela étant précisé, on constate souvent que Juifs et Arabes ne se respectent pas et ne se connaissent pas vraiment ; bien sûr, les uns et les autres sont des Français mais ils ont gardé des attaches avec les racines de leurs parents ou grands-parents. Ainsi, un jeune Français d'origine maghrébine ne se sent pas Français à cent pour cent ; ses parents n'ont pas opté pour la nationalité française, ils gardent l'espoir de retourner vivre dans le pays qu'ils ont quitté. Leurs enfants ont fait un autre choix (pouvaient-ils faire autrement?) : leur pays c'est la France, ce qui n'empêche pas qu'ils se sentent encore maghrébins, arabes ou berbères, et par conséquent motivés par ce qui se passe dans le monde arabe et particulièrement en Palestine.

– Dis-moi, Papa, pourquoi un jeune Français d'origine maghrébine ne se sentirait pas français à cent pour cent ?

– Parce que rien ou presque rien n'a été fait pour qu'il devienne mentalement, culturellement, psychologiquement français. Son **intégration** a été négligée par la société de ce pays. Les immigrés ont été parqués tantôt dans des cités de transit, tantôt dans des HLM (habitations à loyer modéré) devenues vite insalubres. On les a écartés de la vie. Cela a suscité le développement de la délinquance.

– Je t'arrête, Papa, tu parles d'intégration alors qu'ils sont nés ici, en France. Ne crois-tu pas qu'il faut utiliser un autre mot ?

– Oui, tu as raison, on devrait employer les mots **« émancipation »**, **« acceptation »**, **« insertion dans le tissu social »**, on devrait leur donner les moyens d'émerger socialement et culturellement, mais le mot « intégration » a l'avantage de pouvoir s'appliquer de manière générale, y compris pour ceux qui ne sont pas nés en France et sont devenus français avec le temps.

– Et le mot **« assimilation »** ?

– Assimiler n'est pas une action positive, c'est une action consistant à avaler ; il s'agit de gommer les différences. On cesse de considérer ces gens comme des étrangers, mais on leur demande de renoncer à tout ce qui fait leur particularité. On leur demande d'abandonner certaines de leurs traditions et coutumes, d'intégrer le tissu social en faisant oublier leurs origines. Certains changent de nom pour qu'on ne devine pas leurs origines, d'autres s'appliquent avec zèle à avoir des comportements et une mentalité calqués sur ceux de l'entourage français. Tant qu'ils doutent de leur identité, ils sentiront un malaise, ce qui rendra leur insertion conflictuelle. A propos de l'assimilation, Hannah Arendt a fait remarquer que « l'antisémitisme moderne est né et s'est développé alors que les Juifs s'assimilaient[1] ». C'est vrai, le racisme se manifeste à partir du moment où les différences s'estompent et où l'intégration réussie rend impossible le rejet de l'autre.

– Comment ?

– Ce qui inquiète les partisans des idées de l'extrême droite, ce ne sont pas les différences culturelles et sociologiques des étrangers, mais le fait que ces derniers commencent à s'intégrer au point de ressembler à des Européens de souche. Ils font partie de la société européenne. Ils donnent à l'Europe des couleurs. Je pense que pour les gens

1. *Ibid.*

d'extrême droite, l'identité «blanche» se pense menacée par cet apport. Comme tu sais, le racisme refuse le mélange, le métissage.

– **Identité**? Pourquoi est-il si important d'être en bons termes avec son identité?

– Te souviens-tu des questions qu'on te posait, petite, quand on était au Maroc: «Alors tu es marocaine ou française?» Et tu répondais: «Je suis parisienne!» Mais assez tôt tu as su d'où venaient tes parents, tu as visité le village natal de ta maman, tu as commencé à apprendre l'arabe, tu voyageais tantôt avec un passeport français, tantôt avec un passeport marocain. Il me semble que tu n'as pas de problème d'identité parce que tu connais tes origines et celles de ta famille. Tu les connais et les acceptes. Il n'y a là rien à cacher, rien dont on pourrait avoir honte. L'identité est une sorte de sécurité intérieure. Il n'y a pas d'ambiguïté. Ce n'est pas le cas de tous les enfants de Maghrébins. Certains essaient de gommer leurs origines. Comme il est dit dans «Les Dix Commandements»: «Tu honoreras ton père et ta mère», or honorer ses parents, c'est leur accorder leur juste valeur dans la chaîne de la transmission. C'est cela respecter ses racines et son identité.

– Il me semble qu'ils sont rares; je vois autour de moi de jeunes Maghrébins qui ne cachent rien de leurs origines. Au contraire, ils truffent la langue française d'expressions arabes souvent assez amusantes. Tu disais tout à l'heure que ces enfants ont été oubliés par l'État...

– Oui, ce sont des enfants qui sont nés en France, qui sont devenus français, mais l'État, le gouvernement, ne s'est pas occupé de leur sort. On les a oubliés. On les a même confondus avec leurs parents en les traitant comme des immigrés, alors qu'ils ne sont pas des immigrés, ils ne sont pas venus de l'extérieur de la France, ils sont nés sur le sol français, ont obtenu une carte d'identité française. Mais, face à eux, il y a des attitudes de rejet, de refus, ce qui s'est traduit par une scolarité calamiteuse, et, plus tard, par des discriminations à l'embauche ou au logement, ce qui a entraîné un sentiment d'humiliation ; ces jeunes sont les principales victimes du racisme dans ce pays. Partout, on leur fait sentir qu'ils ne sont pas des Français à part entière. Rien n'est fait pour leur émancipation, pour leur promotion. Alors ils en veulent à cette société qui a profité du travail de leurs parents puis a refusé de considérer que ces immigrés ont donné à la France une nouvelle jeunesse. C'est ce qui arrive depuis une trentaine d'années. Ce n'est pas arrivé brutalement. Dans les années 1980, les enfants d'immigrés se sont exprimés à travers un mouvement encouragé par le gouvernement socialiste, SOS Racisme, tu sais le mouvement «Touche pas à mon pote» ; puis il y a eu «La marche des beurs» (1983), des enfants d'immigrés ont traversé la France à pied pour sensibiliser la population et les pouvoirs publics sur leur condition. Mais dans le fond, sur le terrain, rien de sérieux n'a été entrepris par les politiques.

– Par exemple ?

– On n'a pas changé l'habitat, on n'a pas accompagné la scolarité de ces jeunes déchirés entre la culture de leurs parents et la culture française, on n'a pas investi dans la culture, dans la valorisation de leur identité, bref, on a constaté les difficultés et, par manque d'argent et de volonté, on a détourné la tête.

– C'est qui « on » ?

– L'État, les gouvernements, les autorités locales, les élus ; il faut aussi rappeler que les pays d'origine de ces immigrés ont leur part de responsabilité dans cet abandon et cette négligence.

– Qu'est-ce qui s'est passé alors pour qu'on se retrouve aujourd'hui à les montrer du doigt à propos de la judéophobie ? Certains sont devenus racistes, n'est-ce pas ?

– Oui, encore une fois, le racisme n'épargne personne et peut être exprimé par n'importe quel être. On ne doit pas croire que le racisme ne se manifeste que d'un seul côté, qu'il serait l'expression d'un seul groupe, ici le groupe de la population française de souche. On n'est pas là pour culpabiliser les uns et innocenter les autres. Le racisme peut hélas se manifester quelle que soit la couleur de peau, s'exprimer dans toutes les langues, provenir de toutes les confessions religieuses ; il devient un mode de communication, certes, le pire, mais les adversaires se transmettent des choses à travers la méfiance et le rejet. Ainsi le racisme anti-européen (certains disent anti-blanc) existe dans divers milieux de l'immigration. Il est aussi condamnable et intolérable que n'importe quel autre racisme.

– Alors pourquoi la judéophobie ?

– Il faut aller plus loin dans l'explication. Le malaise de certains Maghrébins va créer un vide : à l'école, ils constatent que, malgré les efforts de certains professeurs, ils ne sont pas bien adaptés ; chez eux, il n'y a pas de suivi scolaire, personne pour les aider à faire leurs devoirs (parfois c'est une question d'espace et cela tient aussi de l'illettrisme des parents) ; ces conditions créent un laisser-aller, une absence de motivation et d'ambition ; les jeunes constatent que leurs aînés sont au chômage malgré quelques années d'étude, ils remarquent que leurs parents continuent de trimer et n'ont pas une vie confortable, apaisée ; ils ne veulent pas finir comme eux ou leur ressembler ; l'image du père est dévalorisée, seule l'image de la mère reste forte ; certains vont traîner dans les cages d'escalier de leur HLM, des bandes se forment, la tentation de l'argent facile, la tentation de la révolte non pensée, la délinquance deviennent une réaction, une réponse à leur mal-être. Ils ne se sentent pas aimés, pas respectés dans ce qu'ils sont, avec leurs différences, avec leur apparence, avec leurs origines. Même s'ils sont nés en France, ils vivent la discordance entre culture d'origine des parents et culture d'accueil. Ils se sentent rejetés ; ils se regroupent. Au collège, trop souvent, certains responsables de l'orientation pensent bien faire en les dirigeant vers des lycées techniques, pour des études brèves, parce qu'ils craignent que les élèves ne soient pas capables d'aller au-delà. L'inconvénient est que ce raisonnement est parfois systématique. Même si un enfant est doué, il arrive qu'on ne prenne pas en compte ses capacités, on l'enverra faire des études dont il ne veut pas. C'est cela le racisme. C'est un racisme qui n'est même pas prémédité, ce n'est pas décidé d'avance, mais il y a un engrenage, dont sont victimes les bons comme les mauvais éléments parce que indisciplinés et rebelles. Heureusement tous les enseignants n'agissent pas ainsi. Beaucoup d'enfants des banlieues ont été sauvés de la délin-quance par la vigilance quasi militante de leurs profs.

– Tous n'ont pas été traités de la sorte, j'espère…

– Évidemment pas tous, mais la majorité. Je te donne une preuve par des chiffres : en 1999, selon les statistiques de l'Éducation nationale, 4 % seulement de fils d'immigrés arrivent à l'université. (25 % d'enfants d'ouvriers français font des études supérieures.) Tu vois comment cette génération a été sacrifiée. Devant elle : le vide, donc n'importe quelle aventure est possible. C'est là où l'islamisme va entrer en scène.

– Papa, on s'est éloigné de notre sujet, la montée de la judéophobie et l'affrontement entre Juifs et Arabes.

– Non, on est dans le sujet. Car tout phénomène a des causes, a une histoire. On ne peut pas comprendre ce qui se passe sans remonter aux origines, aux causes profondes qui vont entraîner des réactions violentes et dramatiques.

– Alors explique-moi comment on passe du vide au racisme anti-juif.

– Il faut expliquer les mécanismes du mouvement religieux. Attention, l'islamisme est une dérive de la religion musulmane. Ce n'est pas l'islam. Il ne faut pas faire d'amalgame. Toute religion a ses intégristes.

– C'est quoi une **dérive** ?

– C'est lorsqu'on détourne le cours d'une pensée ou d'un fleuve. L'islam est utilisé comme point de départ, comme force d'appel, puis il sera détourné de sa vérité, il sera interprété de manière caricaturale pour satisfaire les besoins d'une cause politique qui se présente masquée. Comme je te l'avais dit dans la première partie de ce livre, les religions ont souvent été utilisées pour faire la guerre, pour justifier des haines. La religion est une question de conviction, de foi; ce n'est pas rationnel.

– Mais là il ne s'agit pas de guerre de religion, et pourquoi l'islam se laisse-t-il interpréter de manière erronée?

– L'islam n'est pas ce que les intégristes prétendent. Les intégristes ont besoin de la religion comme couverture pour faire passer des messages politiques extrémistes, racistes. Et l'islam, comme toute religion, est susceptible de s'interpréter de manière littérale. Cela donne des prises de position qui tranchent avec la vie moderne et démocratique. On peut faire dire beaucoup de choses à une religion. La France, comme l'Italie, a dû expulser des «imams radicaux», c'est-à-dire des hommes qui s'autoproclament imams – ceux qui président la prière – et se mettent à faire du prosélytisme et surtout à justifier la violence, comme la lapidation de la femme ou le *djihad* (la lutte armée). Ce fut au nom du christianisme que le pape Urbain II est parti en croisade contre les Arabes et les Turcs musulmans (1095), ce fut aussi au nom de cette religion que des femmes furent brûlées parce qu'on les accusait d'être des sorcières, que des cadavres furent déterrés et livrés aux flammes parce qu'on découvrait qu'ils avaient été hérétiques. C'était le Moyen Age, l'époque de l'**Inquisition**.

– On peut se sentir motivé et même très concerné par la situation en Israël et en Palestine sans être arabe ou juif!

– Évidemment, c'est un conflit qui touche beaucoup de personnes. Mais quand on est juif par exemple, quand on a de la famille ou des amis en Israël, on se sent naturellement impliqué par ce conflit. Car une bombe peut exploser dans un restaurant ou dans un bus et tuer quelqu'un de proche.

– Mais les Maghrébins n'ont pas de parents vivant en Palestine...

– Je ne crois pas ; mais les Maghrébins se sentent eux aussi proches des Palestiniens dont les territoires sont occupés et qui meurent tous les jours sous les bombes israéliennes. De toute façon, on ne peut pas mettre sur le même plan une population dont les territoires sont occupés, le peuple palestinien qui n'a pas d'État, qui lutte pour sa libération et un État, Israël, très puissant militairement, soutenu de manière systématique par les États-Unis, un État qui colonise une terre et qui emploie des moyens disproportionnés pour répondre à la résistance palestinienne.

– Mais que vient faire ce conflit dans les banlieues et certaines écoles de France ?

– C'est un problème qui ne se vit pas en termes rationnels ; c'est de l'ordre de l'affectif. Certains sont mus par une solidarité clanique. C'est pour cela qu'on n'arrive pas à lutter contre la judéophobie ni contre l'arabophobie ou l'islamophobie. Le conflit a été transposé dans ces lieux où la vie quotidienne est difficile, où le terrain social est **pathogène.**

– Que veux-tu dire par là ?

– Lorsque les conditions de vie sont dures, elles peuvent générer davantage qu'un malaise :

de la maladie et de la violence. Mais il n'y a pas que cet aspect des choses ; il y a le fait que le peuple palestinien vit une injustice, il souffre ; cela est ressenti avec de la colère chez les jeunes Maghrébins et pas uniquement ; des Français, y compris des Juifs, s'opposent à la politique d'Israël tout en condamnant les attentats suicides visant des civils. Il faut rappeler que ces attentats ont toujours été dénoncés par l'autorité palestinienne. Ces jeunes Maghrébins regardent la télévision et assistent à des incursions de l'armée israélienne dans des camps de réfugiés, à des assassinats ciblés. Certaines chaînes de télévision arabes insistent sur ces images et font souvent l'amalgame entre Israéliens et Juifs ; elles ne font plus de différence entre les deux entités : on peut être israélien et pas juif, la preuve l'État d'Israël comprend plus d'un million d'Arabes israéliens, musulmans ou chrétiens ; on peut être juif et ne pas se considérer comme un Israélien. Il faut distinguer la politique d'un gouvernement et la vie d'un peuple. Tous les Israéliens ne sont pas d'accord avec la politique de leur gouvernement. Nous vivons une période de confusion où le climat ne cesse de se dégrader et les tensions de monter entre Juifs et Arabes. Cependant les actes anti-juifs (insultes, attentats contre des synagogues, pro-fanation des cimetières comme celui de Herrlisheim début mai 2004, comme la dégradation et la souillure le 12 juin 2004 au camp Rivesaltes (Pyrénées-Orientales) d'une fresque à la mémoire des enfants juifs déportés en 1942, etc.) se sont multipliés depuis qu'Israël a durci sa politique à l'égard des Palestiniens et de leurs leaders, depuis le début de la Deuxième

Intifada où les jeunes Palestiniens ne jettent pas que des pierres.

– Que veut dire **Intifada**?

– Le verbe arabe *fada* se dit d'un cheval qui se rebelle. L'Intifada est une rébellion d'adolescents vivant dans des camps de réfugiés; ils manifestent leur colère en jetant des pierres ou des torches de feu sur des soldats israéliens qui font des incursions chez les Palestiniens. La Première Intifada a commencé en novembre 1987.

– Donc il y a un lien entre l'augmentation des actes antisémites en France et l'aggravation du conflit israélo-palestinien...

– Oui. Le rapport annuel de la Commission nationale consultative des droits de l'homme (mars 2004) montre qu'il y a une corrélation entre les événements du Proche-Orient et la fréquence des actes antisémites. Ce lien apparaît avec le début de la Deuxième Intifada (février 2000) dans les territoires occupés par Israël. De même, en mars 2003, au moment de l'entrée des troupes américaines et britanniques en Irak, les actes racistes anti-arabes et anti-juifs ont connu un pic. Ce rapport constate que «l'antisémitisme continue à être très présent dans la société française»; de même l'hostilité anti-maghrébine a pris des proportions inquiétantes: 81% des violences constatées ont visé des Maghrébins. Des mosquées ont été incendiées dans l'Oise, dans la Haute-Marne et dans d'autres lieux de France.

– Notre prof d'histoire nous a lu des extraits d'un rapport européen qui affirme que «des actes hostiles aux Juifs sont dus à des groupes arabo-musulmans et que leur augmentation est liée à l'aggravation du conflit israélo-palestinien». Qu'en penses-tu?

– Il s'agit du rapport de l'Observatoire européen des phénomènes racistes et xénophobes de Vienne. Il porte sur la période entre 2002 et 2003. Ce rapport parle aussi de l'antisémitisme de l'Église orthodoxe grecque : « En Grèce, une grande partie du public adhère aux thèses du complot de la domination mondiale des Juifs ; l'Église orthodoxe continue à inclure des références antijuives dans le rituel liturgique du vendredi saint. » Il faut ajouter à cela l'antisémitisme violent dont on ne parle pas, celui de certains Américains noirs qui suivent les idées de Louis Farrakkhan, un chef charismatique, converti à l'islam, et qui accuse les Juifs de tous les maux.

Sache qu'il n'existe pas de racisme sélectif ; quand on est antisémite, on est aussi anti-arabe. Le raciste exprime son rejet d'un groupe en particulier, mais tu peux être certaine qu'il nourrit la même haine à l'égard des groupes dont il ne fait pas partie. C'est pour cela que l'indignation que suscite le racisme ne doit pas être sélective.

– Comment lutter contre le racisme antisémite et anti-arabe dans les collèges ?

– Je t'ai dit que ce n'est pas rationnel, c'est affectif ; ce n'est pas la raison qui parle, c'est le cœur miné par des frustrations, par des humiliations. La haine est devenue le moyen de communication entre les hommes dans cette région du monde qui souffre depuis 1948, année de la création de l'État d'Israël et de l'expulsion de milliers de familles palestiniennes de leurs maisons. La haine est contagieuse. Pour la calmer, pour l'atténuer, il faut réinstaurer le dialogue et l'explication, il faut faire appel à la culture et au raisonnement. C'est le rôle de la pédagogie en milieu scolaire. Il est intolérable que des enfants se mettent à s'insulter dans l'école et à jouer à la guerre comme si c'était leur propre maison qui avait été dynamitée ou leur frère qui avait été tué dans un bus suite à un attentat suicide. Je connais des Français qui ont perdu un membre de leur famille dans un attentat commis en Israël. Ce qui se passe est insupportable. Le prof devrait expliquer les raisons de ce conflit et ramener les uns et les autres à la raison. Cependant, tant que ce conflit n'a pas trouvé une solution juste et durable pour les deux peuples, il aura toujours des répercussions graves sur le comportement des uns et des autres à l'école ou au travail, ici en France. Je te cite ce qu'écrit Jean Daniel, le fondateur du Nouvel Observateur, dans le numéro du 20-26 mai 2004 : «Tant que se poursuivront et s'aggraveront les violences entre ces deux petits pays – si exigus, si symboliques! – que sont Israël et la Palestine, tant que les médias accompliront leur métier avec les moyens nouveaux qu'ils possèdent de rendre compte, jour par jour, heure par heure, minute par minute, image par image, du nombre de morts civils dans des attentats, du nombre de morts et de blessés par des bombardements, des maisons détruites et des villages asphyxiés, alors je ne vois pas qui dans chaque camp pourrait avoir la sainteté de ne pas se sentir concerné et de demeurer indifférent.» Voilà. Rappeler les faits, dire l'état des mentalités c'est aussi expliquer ce conflit.

– Je pense qu'expliquer n'est pas suffisant, mais avant de continuer dans ce sens, explique-moi comment on devient kamikaze.

– **Kamikaze** est le nom que les Japonais donnaient à un avion chargé d'explosifs piloté par des volontaires, qui allait se jeter sur des navires américains vers la fin de la Seconde Guerre mondiale. On l'appelait aussi «avion suicide». Ce phénomène ne fait pas partie de la culture et des traditions arabes et musulmanes. En islam, le suicide est interdit. En arabe, on n'utilise pas le mot «kamikaze» pour désigner les jeunes gens qu'on envoie se faire exploser dans les lieux publics. On dit *shahid*, c'est-à-dire martyr, celui qui se sacrifie pour une cause nationale. Le martyr en islam est promis au paradis. Un verset du Coran dit : «Allah est avec les patients et ne dites pas de ceux qui ont été tués dans le chemin de Dieu : "ils sont morts!" Non!... ils sont vivants, mais vous n'en avez pas conscience» (Sourate II, verset 154). Cela dit, je ne pense pas que tous les jeunes qui deviennent des bombes humaines le font pour aller au paradis.

– Qu'est-ce que tu en sais ?

– Fais un effort, mets de côté la morale et les sentiments ; mets-toi à la place d'un ou d'une Palestinienne qui vit dans un camp de réfugiés depuis sa naissance ; il a ouvert les yeux dans un environnement de guerre : ce jeune ne connaît de la vie que la misère, la guerre, les humiliations quotidiennes, les fouilles, l'occupation et surtout l'absence de toute perspective d'avenir. Il est élevé dans un environnement où l'injustice est son lot quotidien. Il constate qu'il ne fera peut-être pas d'études supérieures, qu'il n'aura pas un travail épanouissant, qu'il ne pourra pas fonder normalement une famille et vivre en paix. Sa vie est semée d'embûches. Son avenir est bouché. Quand il sort du camp, il rencontre d'autres jeunes qui vivent le même désespoir et savent que leur vie est en danger; il sent qu'il faut se battre pour sortir de ce tunnel. On lui raconte l'histoire de ses grands-parents qui ont dû quitter leur terre en 1948 et on lui explique que cette terre il doit la reconquérir. Il commence par jeter des pierres sur des soldats israéliens. L'armée tire dans le tas, tue des manifestants (comme cela s'est passé le 19 mai 2004 à Rafah, où un missile tiré par un hélicoptère de combat, puis quatre obus de char ont causé la mort de 10 Palestiniens et en ont blessé 70 lors d'une marche pacifique), dynamite des maisons (selon un rapport des Nations unies, 1 075 maisons ou immeubles palestiniens ont été détruits depuis octobre 2000 par l'armée israélienne, opérations qui ont fait 289 morts dont 79 enfants). La résistance devient un impératif. S'il est bien entouré, il rejoindra les rangs d'un mouvement de libération utilisant des moyens politiques ; s'il rencontre des gens qui ont érigé l'islam comme idéologie de combat, il sera enrôlé dans un mouvement qui le formera pour devenir *shahid*. On ne devient pas «kamikaze» par enchantement, ni par désœuvrement. Des faits répétés et tout un environnement contribuent à remplacer l'instinct de vie, l'amour de la vie, par le désir de mort. La vie que mène le jeune Palestinien ne l'incite pas à ce qu'il la garde ; il suffit par ailleurs que ce jeune soit influençable ou qu'il soit témoin de l'assassinat d'un membre de sa famille ou d'un camarade pour qu'il accepte plus facilement de devenir un futur martyr dont le portrait ornera les murs de son quartier.

– Je comprends : le désespoir mène à tout. Mais si on lui explique, si on le convainc que tuer des innocents n'apportera pas la paix à son peuple, peut-être qu'il renoncera à se faire exploser... il faudra ensuite offrir une chance à la paix.

– Justement, cela dépend de ceux qui le prennent en main. Les courants islamistes se sont radicalisés au fur et à mesure que la paix s'éloignait et que les provocations de l'armée israélienne se multipliaient. En construisant un mur autour d'Israël, en assassinant des chefs spirituels de ces mouvements, en envahissant l'esplanade de la mosquée El Aqsa, un jour de prière, le gouvernement d'Ariel Sharon n'a fait qu'exacerber les haines de part et d'autre. La haine est une des expressions privilégiées du racisme.

– Mais comment cette haine traverse des pays pour venir susciter du racisme entre collégiens juifs et musulmans ?

– Chacun a le droit de choisir d'être solidaire avec le groupe humain auquel il s'identifie. Cependant, dans le cas du conflit israélo-palestinien, lorsque ses échos parviennent dans les collèges de France, la solidarité prend souvent un aspect abusif et intolérant. Ceux qui souffrent le plus dans ce conflit ce sont les Palestiniens, qui ne sont pas tous musulmans. Tant que justice ne leur a pas été rendue, il y aura toujours des attentats, des représailles et une spirale de violence sans fin. Je le répète, on devrait prendre prétexte de ces incidents racistes pour mieux expliquer les racines et les raisons objectives de ce conflit. C'est par l'éducation, par la culture, par l'établissement des faits historiques qu'on pourrait lutter contre ce racisme d'un genre particulier.

On peut aussi rêver : pour que cette lutte par la culture soit efficace, il faudrait changer de méthode de travail. Chaque clan devrait s'adresser à ses membres. Ainsi les Juifs devraient expliquer aux autres Juifs la question palestinienne, le droit des Palestiniens de vivre en paix dans un état aux frontières justes et reconnues, à côté de l'état d'Israël. D'un autre côté, les Arabes rappelleraient à d'autres Arabes la destinée tragique des Juifs et leur droit de vivre en paix dans un état aux frontières justes et reconnues.

– Mais c'est un rêve, papa ! Il y a trop de haine pour parvenir à réaliser ce rêve.

– C'est vrai, c'est la montée des haines et des racismes. Mais si chacune des deux communautés ne fait pas ce travail de compréhension – sans rien céder du droit et de la justice – non seulement on n'avancera pas mais on offrira au fanatisme et au racisme les conditions idéales pour se développer et ravager les peuples.

★

– Le port du **voile** à l'école par des jeunes filles musulmanes n'a-t-il pas créé du racisme ?

– La France a été secouée par cette histoire de foulard. Certains musulmans ont été intransigeants et ont tenté de remettre en question la laïcité. Une **islamophobie** s'est développée (le 5 mars 2004, deux mosquées d'Annecy en Haute-Savoie ont été incendiées ; deux tentatives d'incendie de mosquées ont eu lieu à Vecqueville en Haute-Marne et à Creil (Oise) les 29 et 30 mars 2004). Cette question du voile a soulevé des problèmes qu'on aurait pu éviter, en même temps elle a permis à la France de se défendre (de manière précipitée) contre des menaces visant la laïcité, inscrite dans la loi depuis 1905.

– C'est quoi la **laïcité** ?

– La laïcité n'est pas le refus ou le rejet de la religion, au contraire, elle permet à toutes les religions d'exister à condition qu'elles n'interviennent pas dans le domaine public (écoles, hôpitaux, administration, etc.) qui doit rester un espace neutre. La religion doit être une affaire privée, ce qui n'exclut absolument pas qu'elle puisse s'exercer en toute liberté.

A la fin du XIXe siècle, la France a mené des luttes très dures pour obtenir la séparation de l'Église et de l'État. Cela a abouti à la loi du 9 décembre 1905. Elle est une des valeurs essentielles de la démocratie française. Cette loi précise le statut et la place que la religion doit avoir dans la société française. La France était ainsi en avance sur ses voisins et est fière d'avoir réussi à obtenir cette séparation entre le politique et le religieux, ce qui n'a souvent pas été le cas dans les autres pays européens.

C'est dans ce cadre, vieux de cent ans, que l'histoire du voile a jailli. La première fois, ce fut en 1989. Le proviseur d'un lycée a vu arriver deux jeunes filles marocaines avec un foulard sur la tête. Il leur a demandé de le retirer. Elles ont refusé. Les parents s'en sont mêlé, suivis par les médias ; l'affaire du foulard était lancée. Après une accalmie durant laquelle les directeurs d'établissement avaient la liberté de leur décision, le voile est revenu sur la scène et pas uniquement à l'école mais aussi dans les hôpitaux, dans certaines administrations et dans les universités.

– Mais pourquoi réagir avec une loi interdisant

les « **signes ostensibles** » à l'école ? Et comment définir « ostensible » ?

– Ce mot vient du latin *ostendere* qui signifie montrer ; « ostensible » se dit de ce qu'on affiche, de ce qu'on laisse voir à dessein. L'école n'est pas le lieu où on doit montrer les signes de son appartenance religieuse.

– Oui, mais tout le monde sait que cette loi a été faite surtout pour le voile.

– Certes, mais n'oublie pas que le port du voile est un symbole, un signe de différenciation, un signe qui affirme une identité et qui signifie plus qu'une appartenance religieuse. Comme dit le texte préparatoire : « La loi s'ancre dans la tradition laïque qui fait de l'État le protecteur du libre exercice par chacun de sa liberté de conscience. La neutralité du service public est, à cet égard, un gage d'égalité et de respect pour tout ce qui constitue l'identité de chacun. »

– Mais nous sommes dans un pays de liberté ; chacun s'habille comme il veut. Ces jeunes filles ont le droit de ne pas montrer leurs cheveux, de ne pas porter des robes moulantes ou de ne pas se maquiller, c'est leur choix, leur liberté.

– Tout à fait d'accord avec toi, sauf que cette liberté a des limites et que, en vertu de la loi sur la laïcité, ces filles n'ont pas le droit de réintroduire la religion dans l'école publique. Quand je dis que le voile est un symbole, je précise que c'est un symbole politique qui vise plus précisément la condition de la femme.

– Comment ?

– Tout se joue autour de la soumission de la femme : une fille qui porte le foulard est censée refuser de suivre les cours d'éducation physique parce qu'elle devra revêtir une tenue qui pourrait choquer ses proches; refuser aussi de suivre les cours de biologie parce qu'on va lui enseigner des découvertes scientifiques qui contredisent ce que lui affirme la religion; refuser de suivre les cours de dessin parce qu'on lui a dit que l'islam interdit la peinture, etc. La circulaire du ministère de l'Éducation précise que «les convictions religieuses des élèves ne leur donnent pas le droit de s'opposer à un enseignement».

– L'islam est contre la peinture?

– Non, absolument pas; l'islam interdit la représentation du Prophète et de Dieu. C'est une légende qui affirme que l'islam est contre la peinture. C'est faux.

– Mais l'islam n'est pas contre la connaissance, au contraire il encourage l'acquisition du savoir.

– Oui, bien sûr, mais souviens-toi d'où vient le fanatisme: de l'ignorance.

– Je comprends, mais pourquoi le port du foulard irait à l'encontre de la liberté de la femme?

– Dans le Coran, nous trouvons quelques versets où il est question du voile. «Ô Prophète! Dis à tes épouses, à tes filles et aux femmes des croyants de serrer sur elles leurs voiles! Cela sera le plus simple moyen qu'elles soient reconnues et qu'elles ne soient point offensées» (Sourate XXXIII, 59 – *Les confédérés*).

«Dis aux croyantes [...] de rabattre leurs voiles sur leurs poitrines, de ne montrer leurs atours qu'à leurs époux, ou à leurs pères, ou aux pères de leurs époux, ou à leur fils [...]» (Sourate XXIV, 31 – *Sourate de la lumière*).

Mais nulle part il est dit que la femme musulmane doit aller à l'école voilée ni qu'il est interdit qu'elle soit auscultée à l'hôpital par des médecins hommes. C'est une interprétation caricaturale et même contraire à l'esprit de l'islam.

– Alors pourquoi ces filles qui sont souvent de nationalité française refusent-elles la laïcité?

– D'abord parce qu'on leur explique que la laïcité, c'est une forme d'athéisme, que la liberté de la femme telle qu'elle existe en Europe est une porte ouverte à la débauche, au vice et l'immoralité. On leur donne des exemples à partir de ce qu'on voit à la télé, dans la publicité. On leur dit aussi que la laïcité est une menace contre l'exercice de leur foi religieuse et qu'elles doivent se mobiliser pour affirmer publiquement leur appartenance à l'islam. Bref, on oppose leur façon de croire et de vivre à celle des Occidentaux. Certains parents maghrébins craignent que leurs enfants leur échappent, ils craignent de les perdre au profit d'une société qui renonce de plus en plus à l'esprit de la famille et de la solidarité classique. Le modèle de la femme libérée les effraie.

– Qu'est-ce qui choque ces familles musulmanes?

– Te souviens-tu d'une campagne de publicité vantant le port du string?

– Non, je n'ai pas fait attention, et puis la pub m'énerve.

– Au moment où la polémique sur le port du voile faisait rage, une marque de lingerie a placardé des affiches très provocantes où on voyait de jolies jeunes femmes montrant leurs fesses portant un string; le texte disait: «Je suis vierge, et vous?» Entre nous, cette publicité a choqué beaucoup de citoyens et pas que des musulmans, car la pub a depuis toujours tendance à utiliser le corps de la femme pour vendre n'importe quoi. C'est dégradant pour l'image de la femme.

– Quelle a été la réaction des parents musulmans ?

– Certains ont fait remarquer que, d'un côté, on interdit à une jeune fille de se couvrir la tête et, de l'autre, on permet aux jeunes filles de venir en classe en portant des pantalons taille basse au point d'y voir un bout du string !

– La comparaison est pertinente !

– Oui, mais ce que ces parents ignorent, c'est que l'État n'intervient pas dans la concurrence commerciale ; la publicité est libre ; elle est contrôlée par un bureau de vérification, mais on ne peut pas interdire l'affichage d'une publicité parce qu'elle pourrait choquer moralement des passants. On peut la critiquer, mais on ne peut pas la supprimer par décret.

– Je comprends les parents qui donnent une grande importance à la morale et à la pudeur ; ils ont peur de perdre le contrôle de leurs filles.

– Le moyen d'exercer de contrôle, ils le trouvent dans l'islam. C'est pour cela que certains parents ou grands frères obligent les filles à porter un foulard.

– Sont-elles toutes obligées de s'habiller de la sorte ?

– Non, mais cela devient un courant, une sorte de mode communautaire, un signe de reconnaissance et aussi de soumission à la loi du père ou du grand frère.

– Mais j'ai vu à la télé de jeunes femmes cultivées revendiquer le port du voile comme un choix personnel, comme l'expression de leur liberté. Il n'y a derrière cela ni père ni grand frère.

– Encore une fois, c'est leur droit absolu de s'habiller comme elles le désirent ; c'est le fait d'introduire la religion dans la sphère du domaine public (l'école, l'hôpital, l'administration) qui est refusé par la loi française à laquelle je reste favorable. La mairie de Paris a dû licencier une de ses fonctionnaires qui refusait de retirer son voile et de serrer la main à des hommes.

– Se distinguer par le port du foulard, est-ce du racisme ?

– Le port du foulard ne signifie pas directement un sentiment de supériorité par rapport aux autres ; c'est lorsqu'on croit qu'on est supérieur à l'autre qu'on est raciste. Ici, on a affaire à une différenciation, une fermeture sur soi, un repli sur sa communauté. C'est ce qu'on appelle le **communautarisme**.

– Alors, le communautarisme, c'est du racisme ?

– C'est comme le nationalisme à l'échelle des communautés ; en France, coexistent plusieurs communautés de langues, de cultures, de traditions ; mais elles sont toutes appelées à s'intégrer dans le tissu social et culturel français. Or si chaque communauté ferme ses portes et fenêtres, si chaque ethnie vit isolée sans fréquenter les autres ni se mélanger avec ses membres, on verra la naissance d'autant de ghettos que de communautés. C'est exactement ce que veut l'extrême droite : chacun chez soi, et surtout pas de mélange, pas de métissage. La France a une politique d'intégration, même si elle ne la réussit pas pour le moment. La Grande-Bretagne et l'Allemagne ont encore une politique de

différenciation, même si ces pays sont en train de changer peu à peu d'attitude.

– Qu'est-ce que ça veut dire ?

– On établit une distinction entre les communautés et on leur rappelle qu'elles sont et resteront étrangères à la société qui les a accueillies. Ces deux pays européens ne cherchent pas à intégrer des ressortissants d'origine étrangère ; ils les accueillent en tant qu'immigrés mais ne tiennent pas à en faire des petits Britanniques ou des petits Allemands. Le différencialisme est le fait d'avoir le droit de vivre sa différence. Mais un homme qui est enfermé dans sa culture ne communique pas avec les autres. Il cultive le repli et les préjugés. Sais-tu que l'extrême droite, en France ou en Belgique, fait l'éloge du « droit à la différence », sous-entendu « chacun chez soi et pas de mélange » !

– Alors que la France veut que tout le monde devienne français, au nom d'un universel commun et suivant des valeurs communes, n'est-ce pas ?

– Si l'immigré répond aux critères de la nationalité, il en fait la demande et il peut devenir citoyen français, jouissant des mêmes droits et ayant les mêmes devoirs que n'importe quel Français de souche. La France a intégré des millions de personnes venues des pays de l'Est, d'Italie, d'Espagne, du Portugal, etc. Sais-tu que Nicolas Sarkozy, l'ancien ministre de l'Intérieur, l'actuel ministre de l'Économie et des Finances et le futur candidat à l'élection présidentielle, est un fils d'immigrés ? Ses parents sont arrivés en France en 1956 après que l'armée de l'Union soviétique a envahi la Hongrie. Qui pourra affirmer que Nicolas Sarkozy n'est pas français à cent pour cent ?

– C'est bien lui qui a parlé un jour de la discrimination positive, n'est-ce pas ?

– Oui, il voulait dire par là que la France doit engager dans des postes importants des Français d'origine étrangère et de religion musulmane. L'expression «discrimination positive» est paradoxale parce que la discrimination est une action négative. Les Américains utilisent une autre expression : *affirmative action*. A compétence égale, l'État devrait donner ses chances à un enfant d'immigrés.

– C'est exactement le contraire de ce que réclame Jean-Marie Le Pen : «Les Français d'abord !»

– Il faut ajouter : «et rien que des Français de souche qui votent pour son parti» !

– Tu as dit tout à l'heure que l'intégration en France se passe mal...

– Nous avons déjà parlé de l'absence de politique d'intégration dans ce pays. Mais ce qui se passe depuis une trentaine d'années, c'est que l'intégration se fait malgré tout et connaît des ratés ; lorsque la France a intégré des immigrés venus d'Europe, les choses se sont plutôt bien passées parce que ces immigrés et les citoyens français appartiennent à la même sphère de la culture judéo-chrétienne. Il n'y avait pas beaucoup de différences, pas beaucoup d'étrangeté, alors que concernant les Arabes et les Berbères, pas mal d'Européens considèrent que l'islam constitue un handicap, notamment en ce qui concerne la condition de la femme. On a découvert que certains immigrés africains vivaient en France avec plusieurs épouses, que des immigrés maghrébins répudiaient leur femme comme s'ils étaient toujours dans leur pays d'origine. La polygamie et la répudiation sont interdites en

France. Il en est de même pour une pratique – non musulmane – consistant à exciser les jeunes filles africaines (l'excision étant une coutume qui consiste à opérer une mutilation sexuelle sur les jeunes filles). Tout cela est de nature à susciter, dans le meilleur des cas, l'incompréhension et la désapprobation, et dans le pire des cas, le racisme. C'est pour cela que lorsqu'on immigre dans un pays, on doit faire l'effort d'accepter ses lois et de renoncer à certaines traditions et coutumes incompatibles avec la société d'accueil. Cela dit, l'**exogamie** progresse.

– C'est quoi l'exogamie ?

– C'est le contraire de l'**endogamie** ; dans «exogamie», il y a *exo* qui signifie *dehors* ; gamie, c'est le lien : se marier en dehors de sa tribu, de son clan ou de sa famille. L'endogamie est le fait de choisir le conjoint dans le cercle familial. Plus de 25 % des enfants des immigrés maghrébins se sont mariés ces dernières décennies avec des personnes d'autres ethnies, d'autres cultures. C'est l'un des meilleurs moyens de mesurer le recul du racisme ou, du moins, de lutter contre sa progression.

– Pour revenir aux anciens immigrés, c'est toi qui m'avais dit que les Italiens, les Polonais, les Espagnols, les Portugais étaient victimes de racisme ; on les appelait Macaronis, Polacks, Ritals, Espingouins… Quant aux Juifs, on les a toujours affublés de noms péjoratifs, comme Youpins.

– Oui, il y a même eu, au début de cette immigration, des violences meurtrières entre ouvriers italiens et français dans la région de Nice, il y a eu, dans les années 1930, des milliers de Polonais expulsés, etc. Mais c'est du passé. Actuellement, ce sont des Maghrébins qui sont mal vus, et l'affaire du foulard n'arrange pas les choses.

– En dehors de ce problème de foulard, qu'est-ce qu'on reproche aux Maghrébins ?

– Rien de précis. Cependant, les traces de la guerre d'Algérie (1954-1962) sont encore là. C'est une page douloureuse de l'histoire récente de la France où s'exprime un racisme anti-arabe et plus précisément anti-immigré algérien. D'autre part, certains Algériens, même nés en France, trouvent dans l'islam une identité qu'ils opposent à la France. L'affaire du foulard a mis en évidence cette opposition qui est en fait une incompatibilité entre deux visions du monde, deux conceptions de la condition de la femme et de la société. Les intégristes agissent pour la régression des droits humains, luttent contre les droits acquis par les femmes dans ce pays où elles se sont battues pour pouvoir disposer librement de leur corps (droit à la contraception et à l'avortement), pour avoir les mêmes droits que les hommes... Ils craignent que leurs épouses, leurs filles ou leurs sœurs leur échappent en réclamant les mêmes droits que les autres femmes en France. A leur tour, certains Maghrébins développent un racisme anti-français, disons anti-occidental. Ce racisme s'est exprimé quelquefois de manière tragique ; il est basé sur l'ignorance, la méfiance, la peur. En novembre 2001, à Galéria, en Corse, un Marocain a poignardé sa fille, Latifa Loukili, qui s'apprêtait à épouser un Français non musulman.

– Mais que deviennent les filles musulmanes expulsées du lycée ? En étant empêchées de suivre les cours, elles risquent de se radicaliser et de s'attacher encore plus à leurs convictions ; c'est de l'exclusion ; cela ne leur rend pas service.

– Tu as raison, l'exclusion ne fera pas d'elles des filles libérées et encore moins convaincues du bien-fondé de la laïcité. Elles iront dans des établissements privés musulmans. Par réaction à la loi de 1905, l'Église catholique a créé des écoles privées appelées «écoles libres» ; les Juifs ont eux aussi leurs écoles privées. C'est un choix qui n'est pas en contradiction avec la laïcité. Les familles musulmanes qui veulent donner à leurs enfants un enseignement inspiré de la culture de l'islam sont libres de créer leurs écoles dans le cadre des lois de la République. Il y a l'exemple hollandais : les Pays-Bas ont créé et financent une trentaine d'établissements scolaires appelés «Écoles islamiques» réservés aux enfants musulmans. Les filles sont obligées de porter le foulard pour accéder à ces écoles. L'enseignement est le même que partout ailleurs. Il est dispensé en néerlandais. On n'y enseigne même pas l'arabe. Je me demande comment les filles voilées s'adapteront plus tard à la vie européenne et moderne.

– Mais tout cela concerne une minorité de familles immigrées.

– Oui, une minorité dont les manifestations et les agissements entraînent des amalgames entre Arabe, musulman, intégriste, fanatique, etc. Certains responsables d'association tiennent publiquement un discours raciste contre la France, les droits des femmes, les Juifs, et même les homosexuels.

– Justement, est-ce que l'**homophobie** est du racisme ?

– L'homophobie est la peur de l'homosexualité ; elle s'exprime par l'exclusion, le mépris et parfois par l'humiliation, pouvant aller jusqu'à des attaques physiques violentes comme cela s'est produit en janvier 2004 où des individus ont frappé Sébastien Nouchet à cause de son homosexualité puis l'ont gravement brûlé. Donc c'est une forme de racisme puisque le rejet s'appuie sur des préjugés, de l'ignorance et de l'intolérance pouvant aller jusqu'au meurtre. C'est le refus violent de la différence.

– Nous vivons une époque où le racisme n'épargne personne !

– Le racisme a toujours existé. Ce qui est nouveau aujourd'hui c'est qu'on en parle publiquement, des lois ont été votées pour punir l'incitation à la haine raciale, pour punir aussi ceux qui nient l'existence des chambres à gaz où des millions de Juifs sont morts (on les appelle des **négationnistes**). Ce qui est nouveau aussi c'est que les racistes n'ont plus honte ni peur d'être racistes. Ils ont été déculpabilisés par le discours de l'extrême droite. Certains prennent pour prétexte des conflits qui secouent la planète pour justifier leur attitude.

– En l'espace de quelques années – sept ans, depuis notre premier dialogue sur le racisme –, les choses ont beaucoup changé.

– Oui, j'ai l'impression que le racisme progresse et prend des formes multiples ; il s'appuie aussi sur des conflits politiques, coloniaux ou religieux pour se propager. A l'origine de tous ces conflits, de toutes ces guerres, il y a le mépris de l'autre, du faible, du dominé, ce mépris du droit et des valeurs universelles. Nous vivons une époque où les guerres ont changé de style et de visage, elles se font au nom d'une identité bafouée ou d'une religion. Il s'agit de l'arme secrète la plus radicale, la plus imprévisible :

le terrorisme, mû par un fanatisme cruel. Il est intolérable pour des raisons évidentes, dont le racisme. Tous les discours des chefs terroristes sont basés sur la haine. Le terrorisme est une arme terrible : en tuant des innocents, elle suscite du racisme qui touche des populations entières. Je conclus en citant encore Hannah Arendt qui écrit dans *Les Origines du totalitarisme*, sur l'antisémitisme : «La terreur frappe sans qu'il y ait eu auparavant provocation, et ses victimes sont innocentes, même du point de vue de l'oppresseur[1].»

1. *Ibid.*

5. Xénophobie et racisme

Quelle est la différence entre xénophobie et racisme ? Dans « xénophobie », le mot « phobie », « peur », saute aux yeux. Peur de l'étranger, peur de ce qui vient de l'extérieur, peur de ce qui n'est pas moi, de ce qui ne me ressemble pas, de ce qui est perçu comme un danger du simple fait que je ne le connais pas. Cette notion de peur est humaine, elle fait partie de la constitution psychique de l'homme. Un homme qui n'éprouve aucune peur peut être dangereux. Or si la peur est humaine, elle peut aussi être maîtrisable, rationalisée, analysée et surtout dépassée. Rester prisonnier de cette peur est une manière d'exprimer autre chose, de plus profond et de plus inquiétant : la peur de l'étranger, la peur de l'inconnu, est en fait la peur de soi. On a peur de la chose la plus naturelle du monde : la mort. Nous sommes pétris d'angoisse parce que nous avons peur d'accepter le réel, que ce réel soit une invasion humaine, ou le fantasme d'une invasion, ou qu'il soit en bute avec l'idée de la mort, celle qui apporterait la fin, la nôtre ou celle de nos proches.

A partir du moment où nous avons intégré la peur dans notre magasin intérieur, celui qui nous fournit les béquilles qui nous servent à marcher et à supporter la vie, nous avons l'impression d'avoir gagné quelque chose : avoir le droit d'avoir peur, c'est une victoire contre la peur. Au lieu de l'affronter en face, de nous regarder sans complaisance dans le miroir de nos faiblesses, nous en faisons une arme contre l'ennemi, nous l'intériorisons pour l'utiliser comme bouclier : l'étranger qui est une menace ne passera pas.

Quelle est cette menace ?

Généralement, l'étranger qui débarque sans prévenir est privé de tout : d'argent, de travail, de documents, de logement, de sécurité, etc. Il s'identifie à la menace ou, plus précisément, on l'identifie à la menace. Il devient menace même s'il a les mains nues, le cœur ouvert, le corps disponible pour le travail. Non, cet étranger n'est pas à sa place. Il doit repartir chez lui. Il doit retourner là où il survivait. Ici, il n'a pas de place. Comment le lui dire ? Pas avec des mots, mais avec de l'agressivité, avec des lois remises entre les mains de la police des frontières, avec les prérogatives données à la Guardia Civile, on lui a fait passer le mot d'ordre : « Pas d'étrangers chez nous, faites en sorte qu'ils ne mettent pas le pied sur le sol de notre pays. » Certains agents de la Guardia Civile prennent tellement au sérieux leur travail qu'il leur arrive de faire de l'excès de zèle, par exemple de ne pas répondre aux appels au secours de personnes en train de se noyer et de n'intervenir qu'une heure après, c'est-à-dire après s'être assurés que les clandestins ont changé de statut, et que, une fois noyés, ce ne sont plus que des cadavres qu'on peut renvoyer vers d'autres cimetières. Cela s'est passé en Espagne au mois d'octobre dernier [2005].

Revenons à la notion de menace. L'Espagne est un pays démocratique, développé, européen et officiellement dans le giron américain. Je veux dire par là que M. Aznar a engagé son pays auprès de l'administration Bush contre l'avis de l'écrasante majorité du peuple espagnol. Depuis l'arrivée au pouvoir du parti de M. Aznar, l'Espagne serait menacée : la preuve, les Espagnols ont peur d'être envahis, donc il faut se défendre, surveiller les frontières et se méfier des étrangers, surtout s'ils sont originaires des pays du Sud, s'ils sont musulmans et arabes. Beaucoup de bruit, beaucoup d'agitation pour peu de chose.

Des chiffres : quel est le pourcentage de la population immigrée dans les pays européens ? L'Autriche : 10 %. L'Allemagne, 9 %. La Belgique : 8,8 %. La France : 5,8 %. L'Espagne : moins de 2 %. Pour maintenir constante la part de la population active dans ces pays européens, les économistes disent qu'il faudrait entre 200 000 et 600 000 migrants par an dans chacun d'entre eux.

Avant d'analyser les mécanismes de la xénophobie en Espagne, rappelons quelques éléments de son histoire : l'Espagne a été un pays d'émigration ; des centaines d'émigrés ont traversé les Pyrénées pour trouver asile et travail en France principalement. L'Espagne a été une puissance colonisatrice au Maroc du nord et du sud. Une colonisation misérable comparée au protectorat français qui était certes paternaliste et même raciste mais dont la présence était tolérée moyennant la construction de quelques infrastructures. L'Espagne n'avait pas les moyens de sa politique d'expansion. Franco a puisé dans le vivier humain du Rif pour recruter des soldats, et en faire de la chair à canon. Ensuite, des Espagnols modestes, pour ne pas dire pauvres, se sont installés au nord d'Arbaoua, renouant là avec la vieille promesse d'Isabelle la Catholique qui avait tenu à planter un pieu chrétien dans le sol musulman en annexant Ceuta et Melilla.

Une haine antimoro s'est lentement installée dans les mentalités et dans l'imaginaire de certains Espagnols. Cette haine date du temps de l'Inquisition, qui a vu la persécution puis l'expulsion des Juifs et des musulmans par Isabelle la Catholique dont le fanatisme n'eut d'égal que sa cruauté. Jusqu'à la mort de Franco, l'antisémitisme était courant dans ce pays. Aujourd'hui, on ne nourrit pas de manière ostentatoire de haine contre les Juifs, mais on ne s'en prive pas quand il s'agit de leurs cousins les Arabes et musulmans.

Pourquoi cette haine contre les Arabes, et principalement contre les musulmans ? L'Espagne reçoit des immigrés venus des pays de l'Est et surtout d'Amérique latine. On dirait que ces immigrés ne font pas problème. Ils appartiennent à la même sphère culturelle et religieuse, la sphère de la civilisation judéo-chrétienne. Ce qui fait problème, et pas uniquement en Espagne, c'est l'islam.

L'islam en tant que fantasme et non pas en tant que religion monothéiste qui a repris les principales valeurs de la Thora et de la Bible. L'islam ou plus exactement les idées qu'on se fait de l'islam et des musulmans font peur. Il faut avouer que la responsabilité de cette dérive malheureuse revient à certains musulmans qui se sont emparés de la religion comme d'une idéologie de combat politique, ce qui s'est traduit par un fanatisme militant. Tout a commencé dans les années 1970, avec la révolution iranienne. Avant, il existait bien en Égypte et au Soudan des mouvements d'islamistes issus de la secte des Frères musulmans, née en Égypte en 1928. Créé par un instituteur, Hassan Al Banna, ce mouvement s'opposait à l'occidentalisation du pays et refusait la démocratie, considérée comme une valeur importée de l'Occident. Minoritaire, le mouvement fut combattu par la révolution nassérienne avec brutalité : Sayd Qotb, l'un des premiers idéologues du mouvement, fut condamné à mort (jugé pour complot contre Nasser) et exécuté le 26 août 1966.

Cette fanatisation de l'islam s'est répandue dans des pays d'immigration où l'intégration n'existe pas ou a échoué. L'islam devient alors une identité. Pour l'affirmer, il faut se distinguer, s'opposer, marquer sa différence et aller jusqu'à remettre en cause les lois du pays d'accueil, comme la loi sur la laïcité en France.

En Espagne, il y aurait 800 000 musulmans, selon le porte-parole de la Fédération des organisations musulmanes, Youssef Fernandez. Les Marocains représentent 14,7 % des 2,7 millions d'étrangers. Comment non pas les intégrer – la question n'est pas posée – mais vivre avec eux ? Comment coexister avec des musulmans qui sont perçus par l'Espagnol de la rue comme des intrus ?

Intégrer est une dynamique qui se joue à deux : celui qui reçoit prépare le terrain à l'étranger pour qu'il épouse ses valeurs, respecte ses lois et jouisse des mêmes droits que lui ; c'est annuler les différences sans les rejeter, c'est leur donner une place qui ne dérange pas la dynamique de ce mariage d'un type particulier. Intégrer, c'est reconnaître l'autre dans ce qu'il est, dans sa diversité, lui reconnaître le droit de parler sa langue, de suivre les traditions de ses ancêtres tout en participant à la vie de la cité sur le plan professionnel, culturel, éducatif et aussi politique. L'intégration n'est pas l'assimilation : intégrer, c'est considérer l'autre comme mon égal, mon partenaire ; assimiler, c'est assassiner en l'autre tout ce qui le différencie de moi. C'est refuser l'égalité et par conséquent privilégier le mécanisme de la peur plutôt que celui de l'acceptation et de la reconnaissance. Dans « assimiler », on écrase quelque chose ; dans « intégrer », on ouvre des portes, on accueille, on crée une dialectique autour de la culture.

Je ne dis pas que les immigrés ne posent pas de problèmes ni qu'ils sont des citoyens parfaits. Les immigrés sont en charge de leur destin et de celui du pays dans lequel ils travaillent. Ils sont là pour faire des travaux que l'Européen refuse d'exécuter, mais en même temps, on les veut « light », légers, transparents. On voudrait qu'ils deviennent invisibles quand ils passent dans la rue. Ce serait l'idéal. Pendant longtemps, on ne les voyait pas. Ils n'existaient pas. Puis les choses ont changé. Les deux rives de la Méditerranée sont déséquilibrées : celle du sud est surpeuplée et pauvre, celle du nord est sous-peuplée et développée. Mais pour que ce développement continue et devienne richesse, on a besoin de la main-d'œuvre des gens du Sud. Quand ces gens du Sud sont musulmans, les rapports deviennent difficiles.

Les relations entre l'Espagne et le Maroc ne connaissent pas de sérénité réelle et ne nourrissent pas un voisinage productif; l'inconscient collectif intervient souvent pour alimenter la xénophobie et le racisme. L'Espagne a tourné la tête vers le Nord et oublie de regarder vers le Sud. Elle tend à faire oublier ses racines arabo-musulmanes, efface les traces de cette présence qui a été marquée par une coexistence exceptionnelle des trois religions et surtout par une multitude de créations culturelles.

Il faut inciter l'Espagne à faire une relecture de son histoire; cela permettra de pratiquer un examen de conscience et surtout de nouer avec le Sud des relations nouvelles et productives. Comment lutter contre l'immigration clandestine? Le choix sécuritaire n'est pas suffisant; il faut l'accompagner d'investissements dans le pays. C'est l'intérêt de tous. C'est aussi une manière forte et efficace de lutter contre le racisme qui puise son venin dans l'ignorance, dans la peur et dans la haine.

6. La discrimination positive[1]

Un défi républicain : la discrimination positive à la française

Avant d'analyser les concepts de justice, d'équité et d'égalité, je propose qu'on s'arrête un instant sur le mot «discrimination», qu'il soit paradoxalement positif et réparateur ou qu'il soit naturellement négatif et préjudiciable.

La discrimination est ce qui divise, ce qui sépare, ce qui installe une ligne de démarcation entre les hommes, ce qui distingue selon une échelle de valeurs. Pour moi, la discrimination est une aberration banale, c'est-à-dire fréquente, parfois délibérée et parfois non préméditée car inscrite dans l'habitude, bien ancrée dans l'inconscient collectif convaincu de l'inégalité entre les hommes de par leur couleur de peau, leur appartenance religieuse, leur langue et aussi, et je dirai même surtout, leurs moyens de subsistance.

1. Ouverture du colloque «Discrimination positive à la française» tenu au ministère de l'Intérieur le 26 octobre 2005 et présidé par M. Nicolas Sarkozy, ministre de l'Intérieur.

Discriminer, c'est poser un regard qui n'est pas à sa place. C'est soit mépriser, soit surestimer. Dans les deux cas, le regard n'est ni juste ni moralement acceptable.

Les formules chocs ont l'avantage de provoquer le débat ; il est regrettable que la discrimination positive n'ait pas été assez débattue, car elle part d'un bon sentiment, une bonne disposition. On utilise le paradoxe pour réparer une situation injuste.

Cette notion qui nous vient de l'Amérique ne convient pas à la société française. Le pragmatisme des Américains fait que parfois on sacrifie le doute et l'analyse. Il faut aller vite et qu'importent les moyens utilisés pour atteindre l'objectif tracé. La société française a une vieille et bonne tradition de débats et de polémiques. Elle a appris à douter et à discuter.

L'intention sympathique des tenants de la discrimination positive ne fait pas de doute, mais je préfère m'inscrire dans la tradition française et parler d'équité, d'égalité, c'est-à-dire de justice.

Les Anglais disposent d'un concept très commode, car il réussit à exprimer quatre concepts proches mais que distingue une minuscule subtilité : le mot « *fairness* ». Il regroupe en son sein : justice, équité, égalité, impartialité.

Justice : ce qui est à la fois conforme au droit, ce qui correspond de manière mathématique, rationnelle, aux termes du contrat social, c'est-à-dire d'un accord passé entre les parties prenantes dans la société.

Équité : c'est le respect des droits de chacun, c'est-à-dire que tout être doit bénéficier d'un traitement identique qui exclut tout favoritisme, toute partialité, toute préférence subjective.

Est juste ce qui correspond à la formule : «A chacun son dû, quelle que soit son origine ethnique, quels que soient sa religion, sa couleur de peau et le niveau de ses revenus.»

La notion de «*fairness*» exige un traitement impartial des personnes ; nous partons du principe que tous les êtres sont différents mais qu'ils sont tous similaires. John Rawls précise : «Les principes de justice comme d'équité sont analogues à des impératifs catégoriques.»

La justice qui implique l'équité n'est pas à confondre avec une intuition ou un arrangement ; elle est le lieu de rencontre d'un certain nombre de concepts qui impliquent immédiatement une traduction, une application concrète, comme l'impartialité, le respect des effets du droit (cela concerne l'action et le comportement de l'individu ou de l'État), mais aussi l'honnêteté – ce qui est clair, sans taches, sans reproche, sans arrière-pensées. Kant note : «est juste toute action ou toute maxime qui permet à la libre volonté de chacun de coexister avec la liberté de tout autre suivant une loi universelle» (la coexistence des libertés suppose leur égalité).

J'ai parlé du comportement de l'État ; je voudrais insister sur le refus de l'arbitraire, c'est-à-dire le fait du prince, du pouvoir ou de la force ; le refus des faveurs ; il n'est pas question de favoriser telle communauté par rapport à telle autre, mais d'être justes et de veiller à ce que la justice soit appliquée et soit surtout intégrée à l'exercice du pouvoir. Le principe d'équité doit être ancré dans la conscience de chacun et particulièrement dans l'esprit des gouvernants. Il s'agit d'appliquer les mêmes critères à tous les candidats. Toute préférence subjective ou politique, même si elle vise un bien souverain, doit être évitée et laisser la place à l'application des principes d'équité.

On a parlé de CV anonymes, ce «voile d'ignorance» qui permettrait d'éviter que n'interviennent des critères externes motivant des pressions idéologiques, raciales ou népotiques. Non, je propose que les CV soient ouverts, nominatifs avec photos, car le candidat n'est pas un tricheur, et le décideur n'est pas d'emblée une personne sous influence. Le CV anonyme est une concession faite au racisme, c'est une insulte à l'intégrité du recruteur. Comme disait Leibniz, «la perfection n'est pas absolue, mais c'est le degré d'essence, c'est-à-dire de réalité, dans ce que nous pensons et faisons».

Le paysage humain de la France change. Certains le voient et le reconnaissent, d'autres l'ignorent. Il y a des résistances, un refus de voir le réel tel qu'il est, une sorte d'obstination à ne pas voir ce qui se passe. C'est une forme consciente de cécité. Elle est politique. Reconnaître que la France change, c'est admettre qu'il faut agir et entreprendre une politique qui tienne compte de ce bouleversement du paysage humain.

Pourquoi?

Parce que pendant des décennies on a occulté le fait migratoire. Jusqu'en 1973, l'année du choc pétrolier, on avait pris l'habitude de ne pas voir l'immigré. L'inconscient l'avait biffé, effacé. Quelques drames l'ont de nouveau imposé sur la scène sociale française.

Aujourd'hui, il ne s'agit plus d'immigration mais des conséquences du phénomène.

1974 : regroupement familial. Les immigrés ont fait des enfants. Ces enfants ne sont pas des immigrés. Ce ne sont pas des étrangers. Ce sont des Français nés de parents étrangers. Ils sont à leur corps défendant la conséquence d'une situation historique et sociale. Ce qui nous amène aujourd'hui à parler de discrimination, de ségrégation, de racisme et aussi de justice et d'équité.

Il est question d'apprendre à vivre ensemble. C'est ce qu'Épicure appelle « le rassemblement des hommes entre eux, quels que soient le volume et le lieu, un certain contrat en vue de ne pas faire de torts et de ne pas en subir ». Nous avons besoin d'un nouveau contrat social, car apprendre à vivre ensemble, c'est apprendre à accepter les termes d'un accord et à inscrire son être dans le devenir du contrat social. C'est apprendre la grammaire d'une société basée sur le droit et le devoir, basée sur la différence et la ressemblance et le respect qu'on leur doit.

C'est un travail qui nous concerne tous, gouvernants et citoyens. Il n'est pas question, parce qu'il y a eu des dérapages, des bavures, des malentendus, parce qu'il y a eu oubli ou négligence, parfois indifférence ou injustice, qu'il faille aujourd'hui espérer un traitement particulier, même si c'est un traitement de faveur.

Il s'agit de générations mal parties, le handicap faisant partie de son destin. A présent que cela a été reconnu et le sera de plus en plus, il faut soigner cette situation en se basant sur la notion de *« fairness »* :

justice, équité, égalité. Le philosophe Alain le note :
« Dans tout contrat et dans tout échange, mets-toi
à la place de l'autre, mais avec tout ce que tu sais,
et, te supposant aussi libre des nécessités qu'un
homme peut l'être, vois si à sa place, tu approu-
verais cet échange ou ce contrat. »

Propositions concrètes

– Un travail d'information doit être mené auprès
de l'ensemble des Français sur la composition du
nouveau paysage humain : montrer ses nouvelles
composantes et montrer aussi qu'elles s'intègrent
naturellement. Montrer les nouvelles couleurs, les
nouvelles saveurs, les différences.
– Faire un travail pédagogique important dès
l'école primaire ; apprendre aux enfants que nous
sommes tous différents mais tous semblables et
que nous avons tous les mêmes droits et les mêmes
devoirs.
– Redéfinir la carte scolaire, mais là le problème
me paraît immense car il faudra aussi lutter contre
la pauvreté.
– Aider les familles pauvres, qu'elles soient
immigrées ou non, pour que la scolarité de leurs
enfants ne pâtisse pas de leurs difficultés matérielles.
– Inscrire la lutte contre toutes les discriminations dans l'enseignement.
Seule l'éducation et une pédagogie au quotidien
peuvent, dès l'école primaire, éviter que la ségrégation soit au rendez-vous de l'avenir de ces enfants.
Cette pédagogie, je l'appellerai « besoin vital de
dignité », cette vertu restaurée par l'équité et par
l'égalité. Comme dit Kant : « L'Humanité elle-même

est une dignité : l'homme ne peut être utilisé par aucun homme simplement comme moyen, mais doit toujours être traité comme fin et c'est en cela que consiste précisément sa dignité.

N.B. : Nicolas Sarkozy est revenu sur l'instauration en France d'une «discrimination positive». Dans son discours prononcé à Versailles le 22 juin 2009, il déclare : «L'égalité représente une priorité du prochain gouvernement. Celle-ci doit se fonder sur des critères sociaux et non ethniques [...]. Notre modèle d'intégration ne fonctionne plus. Au lieu de produire de l'égalité, il produit de l'inégalité [...]. Au lieu de produire de la cohésion, il produit du ressentiment.»

7. Quelques interventions dans la presse

Racisme universel
(*La Repubblica* et *Lavanguardia*, 22 mai 2008)

L'universalité du racisme se manifeste avec une constance désespérante : l'ignorance et la stupidité n'ont pas de frontières. Où qu'il soit, d'où qu'il vienne, l'homme a peur de l'homme. La violence avec laquelle des Sud-Africains ont chassé et tué plus de quarante étrangers venus des pays voisins est stupéfiante. Il ne s'agit pas simplement d'une histoire de couleur de peau. La perversité se conjugue à la peur pour exprimer le rejet et peut aller jusqu'au meurtre. Ce racisme criminel pourrait être symbolisé par l'image diffusée à la télé de cet homme dont personne ne connaît l'identité qui, à quatre pattes, a brûlé sans que personne ne vienne à son secours. Ou alors cette autre image à laquelle nous nous sommes tant habitués de ces hordes humaines fuyant les bidonvilles pour aller n'importe où. Ils ont été plus de 25 000 à essayer de retourner dans leur pays d'origine, le

Zimbabwe, le Mozambique, le Botswana et même le Congo.

Le pays qui a tant souffert de l'apartheid a ainsi renoué de manière imprévisible avec la violence xénophobe. Évidemment, tout le pays n'est pas raciste. Mais que cette chasse à l'étranger se passe dans ce pays est une aberration et trahit un échec de la politique économique et social de Thabo Mbeki.

Au début des années 1930, des ouvriers français de la région de Nice ont combattu de la même manière plusieurs immigrés italiens parce qu'ils voyaient en ces nouveaux arrivants une menace pour leur emploi. Ils firent la même chose en 1936 avec des Polonais, et ce fut plus terrible encore. Avec les actes de violence naissent des mots qui vont perpétuer ce racisme durant des siècles : en Espagne, les Arabes seront appelés « Los Moros » ; en France, les Italiens « les Ritals et autres Macaronis » ; les Espagnols, « les Pingouins », etc.

Aujourd'hui, malgré les avancées de la lutte contre le racisme, nous assistons encore à des scènes où la haine de l'étranger s'exprime au travers des pires méthodes. En Italie, des néonazis font la chasse aux immigrés (légalement installés) en dessinant des croix gammées sur leurs maisons ou leurs commerces. En France, des tombes tantôt juives, tantôt musulmanes sont souvent profanées.

Dans les stades de football, on entend de plus en plus d'insultes racistes à l'encontre des joueurs à la peau noire. Jean-Marie Le Pen, chef du Front national, avait été le premier à faire des remarques racistes sur la présence des joueurs noirs dans l'équipe de France. Il a en quelque sorte autorisé ses disciples à ne plus retenir leur haine.

Ce qui se passe aujourd'hui en Italie est l'une des conséquences de la politique de la droite et de son extrême dureté à l'égard de l'immigration en général et des clandestins en particulier. Le discours politique a des répercussions importantes sur les populations. Quand un ministre ou un maire ou un président de région dit une phrase désobligeante à propos des étrangers, le militant raciste la décode et se sent autorisé à aller faire la chasse aux immigrés. L'atmosphère actuelle en Italie est inquiétante. Pour montrer la force du nouveau régime, pour donner des preuves de fermeté et d'action, certains ministres du gouvernement Berlusconi lèvent les barrières de l'imaginaire raciste. C'est comme si on disait : «Vous pouvez y aller, nous sommes avec vous.»

Quand il était Premier ministre, le socialiste français Michel Rocard a dit, à propos des flux migratoires incontrôlés : «La France ne peut pas accueillir toute la misère du monde.» Cela a été compris par certains ainsi : Dehors les étrangers ! Le pauvre Rocard, humaniste et homme de conviction socialiste, a été débordé sur sa droite, chose qu'il ne pouvait prévoir. Et quand le pape Benoît XVI parle de la violence inhérente à l'islam, il fait une concession aux islamophobes en apportant, du haut de sa fonction symbolique, de l'eau à leur moulin.

Ce sont ces dérives-là qui créent les conditions d'une chasse à l'homme, étranger ou simplement différent. L'Italie devrait renouer avec les valeurs de son humanisme et mettre un frein à ces débordements qui tôt ou tard se retourneront contre les Italiens eux-mêmes. Il faut certes régler le problème des sans-papiers. Quant aux Gitans, si on les appelle «les gens du voyage», c'est parce que, depuis des siècles, ils n'ont pas cessé de se déplacer. Aujourd'hui ils sont là, demain ils seront ailleurs. Personne n'a réussi à les sédentariser ni à les amener à changer leur mode de vie. Cela ne sert à rien de les pourchasser.

Immigration et identité nationale
(*Lavanguardia*, 26 janvier 2008)

Seule la France de Nicolas Sarkozy a osé créer un ministère de l'Immigration, de l'Intégration et de l'Identité nationale. Cela a soulevé l'indignation des associations d'aide et de soutien aux immigrés ainsi que la désapprobation de Mme Simone Weil (ancienne déportée; elle a été plusieurs fois ministre).

Pourquoi associer immigration et identité nationale? Identifier quelqu'un, c'est retracer les étapes de son histoire, dire d'où il vient, repérer ses racines et leurs significations, dire aussi ses différences, bref, il s'agit de le situer dans l'espace où il immigre. L'identité devient ainsi un système de contrôle, ce qui correspond pour les marchandises à la traçabilité.

Si actuellement le souci français est de prévoir et préparer l'avenir de son paysage humain, l'obsession de ceux qui immigrent est de garantir l'avenir vital de leurs familles. La question de l'identité ne se pose pas pour eux. Toutes les immigrations en Europe ne sont pas identiques. Il faut faire une distinction entre ceux qui viennent des pays qui ont un rapport de mémoire avec la France par exemple (et qu'on est allé chercher) et ceux qui sont issus des pays de l'Est devenus entre-temps européens. Les Italiens ont inventé une formule ambiguë pour désigner les immigrés non européens : les extra-communautaires. C'est en soi une forme de discrimination.

Pour l'immigration, la problématique est différente. Les immigrés de la première génération ne voient pas leur vie intégrée dans un destin différent de celui tracé par leur pays d'origine. La preuve, ils ont été peu nombreux à faire une demande de naturalisation. Ce sont leurs enfants qui sont devenus français, européens, non seulement par la naissance mais aussi parce que leur vie ne se fera pas dans le pays de leurs géniteurs. Le pays natal est celui qui nourrit la première mémoire, laquelle est essentielle pour l'identité de l'individu.

Le problème de l'identité ne concerne pas tant immédiatement les immigrés que les enfants nés en terre d'immigration. Cependant on oublie le fait qu'ils sont français et que leur identité est marquée sur leur carte d'identité et leur passeport. Il en est de même dans les autres pays d'Europe où de plus en plus d'enfants naissent de parents non européens.

La notion d'«identité nationale» implique un peu plus qu'une naissance sur le sol français, elle induit une histoire, des strates et du temps. Or les enfants d'immigrés ne peuvent pas répondre à cette définition qui en quelque sorte les exclut. En ce sens, la démarche de Sarkozy s'oppose aux traditions françaises qui se sont nourries et enrichies d'apports différents. De la part d'un fils d'immigrés hongrois, cela ressemble à de l'excès de zèle, comme s'il s'agissait de mettre fin à toute promotion sociale et politique des Français d'origine immigrée. D'ailleurs, Sarkozy a tout fait pour ne pas insister sur ses origines, voire pour gommer cette part de son identité et de son histoire.

Cela étant, ces enfants d'immigrés, ces Européens du troisième type, posent un problème à la société européenne. La Grande-Bretagne et l'Allemagne sont des pays différentialistes. Ils ne cherchent pas à intégrer de manière définitive leurs immigrés. En même temps, c'est en Grande-Bretagne qu'on trouve une disposition juridique par laquelle le royaume donne aux immigrés venant d'un des pays du Commonwealth le droit de vote à toutes les élections. Ce que la France n'a jamais accordé à ses immigrés issus de pays anciennement colonisés par elle. Elle n'a même pas accepté de leur donner la possibilité de voter aux élections locales, qui décident de leur vie quotidienne.

C'est là un exemple parmi tant d'autres qui montre que toute la communauté européenne n'a pas la même vision ni la même politique de l'immigration, alors que tous les pays de cette union européenne ont besoin de main-d'œuvre étrangère. Quand on colle la notion d'identité à celle de l'immigration, on se trompe de problème. En revanche, quand on s'interroge sur le devenir de la société européenne de plus en plus métissée, on passe à un autre sujet : accepter ou refuser que l'identité européenne soit composée d'apports multiples d'origine étrangère. On sait que ce qui fait problème, c'est l'islam. Les immigrés portugais, italiens, espagnols n'ont pas eu à affronter d'obstacle majeur à leur intégration au tissu social français.

L'historien Benjamin Stora a raison de proposer que la France élabore un pacte entre la République et sa mémoire. C'est une clarification et une saine lecture de l'histoire. Ainsi, l'identité nationale devrait être une ouverture, une sorte de reconnaissance d'une réalité où l'apport de l'immigration est mis en valeur et non occulté ou minimisé. L'immigration est plus qu'une nécessité, elle est une chance pour tous ; encore faut-il le reconnaître et ne pas stigmatiser cette population qui n'a pas toujours les moyens de se défendre.

A partir du moment où l'Italie et l'Espagne ont décidé de régulariser massivement des centaines de milliers d'immigrés entrés illégalement sur leur territoire, elles ont implicitement accepté le fait que la plupart des personnes composant cette population resteraient dans ces pays, y feraient leur vie et en adopteraient la nationalité. C'est sur ce point que l'Union européenne devrait mettre sur pied une politique commune, rationnelle, souple, juste et digne de l'immigration et de ses conséquences.

Ouvrir la porte de sa maison n'autorise pas celui qui y entre à casser le mobilier, à se conduire en territoire conquis, à mettre mal à l'aise ses hôtes et à leur dénier tout respect. Les lois de l'hospitalité doivent être suivies afin que le projet de vivre ensemble soit établi d'un commun accord. Il faut savoir accueillir et créer la confiance chez ceux qui arrivent sur le sol français. Or tout se passe comme si les immigrés étaient des fantômes et ceux qui les emploient des absents. Quand surgissent des incidents, tout le monde se réveille soudain et découvre que l'Europe ne peut pas se passer d'immigrés et qu'elle ne s'est pas préparée pour affronter cette situation, ancienne pour certains pays, nouvelle pour d'autres.

Une politique européenne commune devrait être fondée sur des valeurs et des axes fondamentaux, par exemple :

– Refus de toute immigration illégale. (Traiter le problème en amont en investissant davantage dans les pays d'où partent ces désespérés.)

– Établir une politique de coopération avec les pays du Sud pour rationaliser les flux migratoires.

– Accorder aux immigrés un statut de travailleur coopérant exactement comme cela se fait dans les pays du Sud pour les Européens qui y exercent une activité professionnelle.

– Mieux faire connaître les différentes cultures en insistant sur la séparation de la religion et de la politique.

– Définir les espaces cultuels et culturels des immigrés tout en les respectant et les valorisant, meilleur moyen de lutter contre les détournements de la culture et de la religion à des fins idéologiques et souvent fanatiques.

– Mettre en place une pédagogie du vivre-ensemble où les droits et les devoirs sont enseignés afin de valoriser les cultures des pays d'origine.

Bref, il s'agit d'accepter l'idée que le paysage européen ne sera plus «pur» mais composé de plusieurs apports et mélanges, c'est-à-dire enrichi, transformé et de plus en plus ouvert sur le monde. L'intégration est une opération qui se fait à deux. On ne s'intègre pas tout seul. S'intégrer ne veut pas dire renoncer aux composantes de son identité d'origine mais les adapter à une nouvelle vie où l'on donne et où l'on reçoit. C'est sur ces bases qu'une politique commune devrait être établie dans une concertation entre l'Europe et les pays du Sud. Enfin, il faudrait en finir avec les clichés, les préjugés et les images misérabilistes de l'immigration et de ses conséquences et ne plus confondre l'immigré, celui qui a fait le voyage, et son enfant qui n'est pas immigré mais citoyen du pays où il est né. Les événements d'octobre 2005 ont été interprétés comme une révolte des immigrés. Non, c'était une révolte de jeunes Français dont l'identité n'a pas été réellement reconnue par l'État. Ce genre de confusion nuit beaucoup à l'image déjà suffisamment négative de l'immigration. Il est urgent de clarifier la réalité de cette nécessité dont ni l'Europe ni les pays du Sud ne sont en mesure de se passer. Il est temps de mettre les choses à plat et d'assainir la situation en rappelant aux uns et aux autres que l'immigration n'est ni une invasion, ni une aberration mais une chance économique, sociale et humaine pour tous.

Boycott et racisme
(*La Repubblica*, 2 février 2008)

Dans *Les Origines du totalitarisme*, Hannah Arendt écrivait : « Comprendre, c'est regarder la réalité en face avec attention, sans idée préconçue, et lui résister au besoin, quelle que soit ou qu'ait pu être cette réalité. » Elle parlait de l'antisémitisme, ce racisme qui continue de manière insidieuse à exister. Chaque insulte adressée à un Juif est une insulte qui touche un Arabe. Plus l'antisémitisme se développe, plus la résolution du problème palestinien se complique. Le racisme augmente et aggrave l'insécurité. Celle des Juifs qui vivent en Israël ou en Europe. Ils sentent que, malgré la tragédie de la Shoah, la bête immonde de la haine antijuive est toujours là. La peur augmente et se traduit par un repli sur soi, et ce sont les Palestiniens qui payent le prix fort de cette réaction. Il y a cependant beaucoup moins de manifestations d'antisémitisme actuellement en Europe qu'il y a soixante ans. Mais le racisme antiarabe, anti-immigré rejoint l'antisémitisme ; certains font une hiérarchie entre les deux racismes et pratiquent « l'indignation sélective », comme s'il y avait un racisme moins condamnable qu'un autre. Il faut rester vigilant et suivre le conseil de Hannah Arendt : regarder la réalité en face et lui résister.

On sait qu'il n'y a pas de racisme sélectif. Quand on n'aime pas les Arabes, on n'aime pas non plus les Juifs, les Noirs, les Tziganes, bref, tous ceux qui sont différents. Ainsi, en France, le discours du Front national est celui d'une haine tous azimuts. Le fascisme italien mettait lui aussi tous les métèques dans le même sac. Aujourd'hui, ce sont les immigrés qui sont les premières victimes du racisme ordinaire. Voilà qu'à l'occasion d'une manifestation strictement culturelle, puisqu'il s'agit du salon du livre de Turin, le racisme anti-juif apparaît sous la forme d'un boycott au prétexte que des écrivains israéliens en sont les invités d'honneur cette année.

Je ne boycotterai jamais un écrivain d'où qu'il vienne et quoi qu'il ait écrit. Un livre est un ami. Comme tous les amis, il peut ne pas nous plaire, il peut nous agacer mais aussi nous réconforter quand nous sommes dans la solitude. Ce boycott du salon de Turin est en fait l'occasion pour certains de confondre culture et politique. L'État d'Israël et sa politique de colonisation et d'occupation sont condamnables. Jamais je n'ai confondu un écrivain avec son État ni avec sa religion. Ainsi, à l'époque de l'apartheid en Afrique du Sud, nous lisions Nadine Gordimer, Coetze, Breytenbach, etc. Nous ne confondions pas ces écrivains avec la politique abominable de leurs gouvernants. Il en est de même aujourd'hui avec les écrivains israéliens dont la plupart sont très critiques envers leur État.

Dans *La Chartreuse de Parme*, Stendhal écrivait que «la politique dans une œuvre littéraire, c'est un coup de pistolet au milieu d'un concert, quelque chose de grossier...». Introduire la politique dans un salon du livre, c'est une façon de le détourner de son objectif qui doit rester noble et sain. Je me méfie de ceux qui boycottent les livres et leurs créateurs. Ce sont ceux-là mêmes qui censurent des écrivains ou brûlent leurs livres.

Dénoncer la politique israélienne est un droit légitime. Défendre le droit du peuple palestinien à avoir un État et vivre en paix à côté d'un État israélien est aussi un droit légitime. Assez de confusion et d'amalgame. Ce n'est pas dans un salon du livre que ce conflit vieux de plus de soixante ans devrait se dérouler. Le boycott ne fera qu'exacerber les haines et les méfiances. Or nous avons besoin de clarté, de résistance et de dialogue franc. Et cela avec des livres lus, aimés, discutés, critiqués mais dans la noblesse de la création.

Peur de l'islam
(*Espresso*, 27 avril 2008)

Les mentalités ont-elles changé depuis le 11 septembre 2001 vis-à-vis de l'islam et des musulmans ? Font-elles encore l'amalgame entre religion islamique et terrorisme ? Confondent-elles Arabes et Iraniens, sunnites et shiites ? Autrement dit, la peur de l'islam a-t-elle grandi ou s'est-elle calmée ?

A en juger par le cas du député néerlandais Geert Wilders, auteur d'un film dénonçant l'islam et considérant que «le Coran est un livre fasciste», on est tenté de dire que les choses ne sont pas encore apaisées : le malentendu entre les civilisations est entretenu par ce genre de provocations qui poursuivent et amplifient le travail de Theo Van Gogh, assassiné par un Hollandais d'origine marocaine le 2 novembre 2004. La victime s'était fait connaître pour sa «haine de l'islam et des musulmans» et son travail raciste prenant notamment pour cible les Juifs. Condamné pour antisémitisme, il avait continué à insulter des musulmans et des Arabes. A l'évidence, ce n'était pas une raison pour le tuer ni pour menacer de mort son amie et collaboratrice Aayan Hirsi Ali, laquelle vient de demander l'asile politique en France.

Que dit Geert Wilders ? Pour lui, «l'islam est une religion arriérée, incompatible avec la démocratie»; «les immigrés musulmans doivent s'intégrer ou s'en aller». Admirateur de Pim Fortuyn, chef de la droite populiste assassiné en 2002, il mène une guerre fanatique, persuadé qu'il exprime une opinion qui résonne au sein de la société hollandaise. Il le fait avec une telle rage, une telle haine, qu'un journaliste s'est posé la question de savoir si cet homme n'a pas été victime d'un traumatisme d'enfance lié à la religion musulmane. Qu'importe les motivations psychologiques ou même idéologiques. Le fait est qu'il ose insulter une religion et ses adeptes avec une liberté qu'il ne se permettrait pas d'exercer envers d'autres confessions. Ainsi, le patron de presse Harry de Winter, juif, écrit le 17 mars 2008 à la une du quotidien *De Volkskrant* : « Si Geert Wilders avait dit sur les Juifs et l'Ancien Testament ce qu'il débite maintenant sur les musulmans et le Coran, il y a déjà longtemps qu'on l'aurait envoyé promener et qu'il aurait été condamné pour antisémitisme. »

Parce que l'islam a été détourné de son sens et de sa mission par des agents du terrorisme, parce qu'il a été mal expliqué et mal défendu, n'importe qui peut se permettre de le salir et de porter atteinte à la dignité de millions de croyants. Il y a là une sorte de permissivité qui s'est instaurée d'elle-même. On cherche à faire de la provocation et à prendre une revanche, comme si l'islam venait de naître. Les caricatures du prophète publiées dans le journal danois *Jyllands-Posten* en 2005 ont provoqué des réactions d'une violence terrible qui s'est soldée par plusieurs morts à travers le monde ; au point qu'on s'est demandé si l'islam était si vulnérable que cela. Un dessin semble pouvoir l'ébranler ou du moins ébranler la dignité de croyants offusqués et prêts au djihad pour réparer une attaque qui n'est au fond qu'un trait d'esprit de caricaturiste dont le métier même consiste à ne pas respecter les dogmes, qu'ils soient politiques ou religieux. Cette lamentable affaire a pris des proportions énormes et a creusé encore davantage le fossé entre l'islam et le reste du monde.

Au-delà du cas du député néerlandais qui croit encore aux croisades, l'islam n'a pas retrouvé la place et le statut qu'il avait dans le monde avant la révolution iranienne de 1978. On peut dire que la politisation accrue de cette religion a été le fait de Khomeyni qui pratiquait une lecture idéologique et littérale du Coran. L'intervention soviétique en Afghanistan et la manipulation par l'Amérique des combattants musulmans afghans – on leur disait qu'il fallait mettre dehors les communistes, qui sont athées – ont débouché sur l'islamisation des conflits dans cette région et par conséquent sur l'entrée en scène du terrorisme à l'échelle quasi planétaire.

Aujourd'hui certains pays ont encore des soldats en Afghanistan. Les Pays-Bas, qui historiquement et culturellement n'ont rien à voir avec cette région, ont 1 500 hommes postés là-bas. Quand les États-Unis s'engagent dans une aventure militaire, ils aiment bien entraîner dans leur sillage d'autres pays. Ce n'est pas Geert Wilders qui s'offusquerait en apprenant que les Américains ont perdu 4 000 hommes et que, du côté irakien, on évalue le nombre de victimes, surtout des civils, à plus d'un million de personnes. Cette guerre menée au nom de la démocratie et de la lutte contre le terrorisme d'appellation islamiste s'est révélée être l'une des catastrophes les plus coûteuses de l'histoire américaine récente. Mais à partir du moment où l'ennemi communiste traditionnel s'était décomposé, et surtout après le 11 septembre, il fallait trouver vite un ennemi ; Bush, et son équipe de fondamentalistes, a désigné l'islam et les musulmans (le terrorisme islamique, dit-il) comme l'ennemi à abattre.

Celui qui a entraîné son pays et son peuple dans une guerre illégale et injuste s'en ira tranquillement en novembre prochain comme un bon retraité qui profite de sa vieillesse pour écrire ses Mémoires et faire quelques affaires avec... des Arabes, comme au bon vieux temps où il n'était qu'un gouverneur au Texas.

Vigilance générale
(Le Point.fr, 15 juillet 2016)

Il semble que la France, malgré son état d'urgence, sa police sur les dents, ses services de renseignements et sa vigilance affichée soit à chaque fois prise de court par le terrorisme. Un responsable de la police disait l'autre jour que le pays est toujours menacé et que la prochaine fois ce sera une voiture piégée. Il était bien informé, sauf que la voiture est un camion qui n'a pas explosé mais a écrasé tout ce qui se trouvait sur son passage. Ici, au Maroc où je me trouve, j'ai vu des gens pleurer en regardant les images du massacre.

Encore un maghrébin ! Il s'agirait d'un Tunisien, vivant à Nice, carte de séjour en règle. Il n'était ni surveillé ni signalé. Ce sont, bien sûr, les cas les plus difficiles à repérer. Mais, au-delà du travail de la police, il faudrait que l'État reconsidère sa politique à l'égard du terrorisme. Il ne s'agit pas d'ignorer la loi ni le droit, mais d'être moins naïf. Le fait que la justice ait accordé à M. Abdeslam quelque confort dans sa cellule, le fait qu'il soit «présumé innocent» envoie des signaux dangereux à ceux qui sont dehors, signifiant que la France c'est cool et que le pays des droits de l'homme protège tout le monde, y compris celui qui est soupçonné d'un terrible massacre. La démocratie, l'arsenal judiciaire français, l'esprit du respect des droits de l'homme font que la lutte contre le terrorisme devient très difficile, car, en face, ceux qui tuent ne s'encombrent d'aucun principe. La France et l'Europe sont fragiles, pas armées, pas outillées pour mettre fin à cette barbarie. Il faut l'admettre et le dire au peuple. Par ailleurs, il faudrait que la vigilance soit générale, car nous sommes tous concernés. La peur devrait ainsi céder la place à une attention particulière et une plus grande solidarité, notamment avec ceux qui sont censés garantir notre sécurité. Il faut arrêter d'attaquer la police, de l'agresser ou de la dénigrer. C'est en la respectant, en lui faisant confiance qu'on peut lui permettre d'agir de manière plus efficace.

On ne sait pas si le tueur de Nice avait reçu des ordres de Daech ou bien s'il a agi seul, choisissant un moment privilégié, le 14 juillet, moment de fête et de joie, pour commettre cet acte barbare.

Il fallait éteindre cette joie, exactement comme il fallait faire taire la musique au Bataclan et punir ceux qui étaient venus l'écouter.

Nous sommes confrontés à des individus de plus en plus quelconques. Plus aucun signe extérieur ne les distingue. Finie l'époque de la longue barbe, de la 'abaya pakistanaise. Ils ont opté pour la banalité, se sont fondus dans le paysage. Munis de leur passeport européen, ils circulent en toute liberté dans l'espace Schengen, n'inquiètent personne, ne se font aucunement remarquer, sont même polis, ne dépassent pas la vitesse autorisée, ne brûlent pas les feux rouges, bref, ce sont des citoyens apparemment sans problèmes et personne ne peut les soupçonner d'avoir enfoui en eux leur détermination à tuer et à massacrer des innocents. Condamné par l'instance d'al-Azhar au Caire et par les représentants de musulmans en France, cet attentat est un acte de barbarie qu'aucune religion n'autorise. Mais on a beau le dire, l'amalgame sera fait avec l'islam.

À quoi sert de prolonger de trois mois l'état d'urgence si, par ailleurs, on ne change pas de politique ? La France combat Daech sur le terrain. Or, plus ce prétendu « État islamique » subit de revers militaires, plus il s'affaiblit là-bas, plus il fera appel ici à ses cellules dormantes qui n'attendent qu'un feu vert pour agir. La ville de Nice et le 14 juillet ont été ciblés par Daech pour des raisons bien claires : il s'agissait d'abattre la vie, la fête, le plaisir par un soir d'été où l'air était frais et doux.

Les assassins de la modernité
(*Le 1 Hebdo*, novembre 2015)

Dans le communiqué de revendication des massacres du vendredi 13 novembre 2015 à Paris, il est question de la sourate 59, verset 2, et de la sourate 63, verset 8.

La sourate 59, « Le rassemblement », parle des « négateurs » qui « s'imaginaient qu'ils seraient protégés contre Dieu par leurs forteresses. Mais Dieu les atteignit par où ils s'attendaient le moins ».

L'autre sourate évoque «les hypocrites» qui ignorent la puissance de Dieu.

Citer ces versets revient à tenter de donner un semblant de justification aux crimes qui sont par ailleurs fermement condamnés par l'islam. Le Conseil supérieur des oulémas du Maroc (théologiens) vient ainsi de publier une fatwa condamnant le massacre de vendredi et précisant le sens du mot djihad, qui est «effort sur soi par l'éducation, le savoir et la responsabilité», ce qui n'a rien à voir avec le terrorisme. Ce Conseil cite, à son tour, un verset plus explicite : «Celui qui tuerait un homme non coupable d'un meurtre ou d'un délit sur la terre, c'est comme s'il avait tué tous les hommes.» La fatwa marocaine distingue sans aucune ambiguïté le djihad du terrorisme. Le rite malékite que suit le Maroc est le rite de la modération, adapté à la vie moderne. Avant l'irruption de l'intégrisme islamiste, l'islam se vivait paisiblement. À partir du moment où l'islam a été un levier politique, tout a changé. Cependant, même si l'on peut faire dire ce qu'on veut à des textes écrits il y a plus de quatorze siècles, à des versets révélés en un temps et des circonstances précis, aucun verset du Coran ne saurait ni justifier ni excuser les massacres perpétrés méthodiquement l'autre soir à Paris.

Il est temps que les autres autorités religieuses musulmanes dans le monde s'élèvent contre l'utilisation abusive de certains versets. L'islam ne peut en aucun cas servir d'alibi à ceux qui entreprennent de commettre des crimes odieux. Cela, on a beau le dire et le répéter, c'est l'islam même qui est aujourd'hui perçu comme «une idéologie de la terreur». Il y a pourtant plusieurs interprétations des textes. L'islam wahhabite, pratiqué dans certains pays du Golfe (charia, coups de fouet, tête tranchée publiquement au sabre, mains coupées des voleurs, femmes exclues de la vie normale et sans droits, etc.), est un islam anachronique et obscurantiste. C'est le référent majeur du «calife» sunnite autoproclamé, al-Baghdadi.

Cette lecture rétrograde du Coran est en permanence en butte à la modernité. Elle est caricaturale, sans imagination, dénuée de symbolisation, sans intelligence. Il faut donc que les musulmans qui pratiquent un islam paisible dénoncent le wahhabisme et exigent des États qui s'y réfèrent comme à leur «constitution» d'y renoncer s'ils veulent appartenir vraiment au monde libre et civilisé, et par ailleurs continuer à commercer avec les pays modernes, c'est-à-dire démocratiques, des États de droit où la femme est respectée, jouit des mêmes droits que l'homme, où l'on ne condamne pas un adolescent soupçonné de nourrir quelque opposition à être décapité sur la place publique ou un simple blogueur à recevoir mille coups de fouet. Il est temps que l'Europe mette les choses au point : on ne peut pas continuer à faire du commerce avec des États qui, par ailleurs, financent ou du moins encouragent les dérives islamistes. Il revient aux citoyens musulmans de privilégier la liberté d'interprétation puisque, comme le souligne le Coran, «chacun est responsable de sa conscience». L'émergence de l'individu dans le monde musulman marquerait l'entrée dans la modernité, qui signifie d'abord droit et égalité des citoyens.

Rappelons enfin que, parmi les centaines de victimes, il se trouvait des jeunes gens de toutes confessions, de toutes les couleurs et de toutes les tendances politiques. C'est cette diversité, cette belle mixité, cette liberté de vivre, de danser et de rire ensemble que les terroristes ont voulu assassiner. Oui, il est urgent que ceux qui maîtrisent les textes, ceux qui ont le savoir et l'intelligence prennent la parole et dénoncent avec force ces manipulations du Coran et de l'islam en général. Il faut savoir que, en fin de compte, ce sont les musulmans en Europe, ceux qui vivent et travaillent en paix pour nourrir leur famille qui payeront d'une façon ou d'une autre ce qui vient de se passer. Ils seront stigmatisés, ils seront considérés comme suspects, ils seront montrés du doigt, ils seront refoulés au guichet des demandes d'emploi, ils seront systématiquement fouillés, humiliés par une police en colère, ils serviront de repoussoir aux hommes politiques et on leur fera endosser la responsabilité de la progression de l'extrême droite raciste et fasciste.

Pour toutes ces raisons, le monde musulman, divisé et divers, devrait pour une fois parler d'une seule voix, forte et déterminée, et prendre les mesures propres à détruire cette barbarie.

Lettre aux musulmans
(*Le Monde*, 25 juillet 2016)

L'islam nous a réunis dans une même maison, une nation. Que nous le voulions ou non, nous appartenons tous à cet esprit supérieur qui célèbre la paix et la fraternité. Dans le mot «islam», il y a la racine du mot «paix». Cet aspect a été gommé.

C'est violence et brutalité qui dominent. Même si elle est le fait d'un seul individu, tous les musulmans sont embarqués dans l'ouragan de la barbarie. La notion de paix est trahie, déchirée et piétinée par des individus qui prétendent appartenir à notre maison alors qu'ils sont bien décidés à la reconstruire sur des bases d'exclusion et de fanatisme. Pour cela, ils ont recours à l'assassinat d'innocents. Aucune religion n'autorise un tel détournement, une telle cruauté.

Aujourd'hui, une ligne rouge a été franchie : entrer dans une église, dans une petite ville de Normandie, et s'en prendre à un vieil homme, un prêtre, l'égorger comme un vulgaire mouton, puis tenter d'infliger le même sort à une deuxième personne, la laisser gisant dans son sang, entre la vie et la mort, crier le nom de Daech puis mourir, c'est une déclaration de guerre d'un genre nouveau, une guerre de religion. Nous savons très bien comment tout cela se termine. Mal, très mal.

Alors, après les massacres du 13 novembre à Paris, puis le massacre de Nice et tant d'autres crimes individuels, voilà que la communauté musulmane, vous, moi, nos enfants, nos voisins, pratiquants ou pas, croyants ou pas, sommes sommés de réagir. Or il ne suffit pas de s'insurger verbalement, de s'indigner une fois encore et dire «ça, ce n'est pas l'islam». Non, cela n'est plus suffisant et de plus en plus de gens ne nous croient plus quand nous disons que l'islam est une religion de paix et de tolérance. Si nous voulons parvenir à rétablir l'islam dans sa vérité, dans son histoire, si nous voulons démontrer que l'islam ne consiste pas à égorger un prêtre, alors il nous faut sortir en masse dans les rues et nous unir autour du même message : dégageons l'islam des griffes de Daech.

Nous avons peur parce que nous sommes en colère. Mais notre colère doit marquer une entrée en résistance, en vue d'un changement radical de ce qu'est l'islam en Europe.

Si l'Europe nous a accueillis, c'est parce qu'elle avait besoin de notre force de travail. Si la France a décidé le regroupement familial en 1975, c'est pour donner à l'immigration un visage humain. Alors, il nous faudra nous adapter aux lois et au droit de la République.

Nous devons renoncer à tous les signes provocants d'appartenance à la religion de Mahomet. Nous n'avons pas besoin de couvrir nos femmes et de les exhiber comme des fantômes qui font peur aux enfants dans les rues. Nous n'avons pas le droit d'empêcher un médecin homme d'ausculter une musulmane. Nous n'avons pas le droit de réclamer des piscines séparées pour les femmes. Nous n'avons pas le droit de laisser faire des criminels qui ont décidé que leur vie n'a plus d'importance et qu'ils l'offrent à Daech.

D'autre part, nous devons parler, mettre en garde ceux d'entre nous qui sont tentés par l'aventure criminelle de Daech. Ce n'est pas de la délation. Il s'agit, au contraire, d'un acte de courage visant à assurer la sécurité de tous. Nous savons bien que, massacre après massacre, des musulmans innocents figurent parmi les victimes. Notre vigilance doit s'exercer tous azimuts.

Alors, que les instances religieuses bougent et fassent descendre dans la rue des millions de citoyens appartenant à la maison de l'islam, qu'ils soient croyants ou pas, et qu'ils disent haut et fort que cet ennemi qui égorge un prêtre fait couler le sang de l'innocent sur le visage de l'islam.

Si nous continuons à regarder passivement ce qui se trame devant nous, nous deviendrons tôt ou tard complices de ces assassins.

Que nous appartenions à la même nation ne signifie pas que nous sommes «frères». Mais pour l'heure, si nous voulons prouver que cela vaut la peine d'appartenir à la même maison, la même nation, réagissons, sinon il ne nous restera plus qu'à faire nos valises et à retourner dans notre pays natal.

Que la population musulmane s'implique
(*Le Monde*, 2 avril 2018)

La France est un État de droit. Le terrorisme tente de casser cet État et de ruiner la démocratie. Toutes les réponses de la France ont été en parfaite concordance avec l'esprit républicain. Pas question, par exemple, de suivre l'exemple américain consistant à créer un Guantánamo à la française. Des voix s'élèvent pour mettre sur pied des centres de rétention où séjourneraient les vingt mille individus classés «S». Ce n'est ni possible ni souhaitable. Alors que faire? La France se trouve la cible permanente d'un mouvement miné par la haine de la République, par le rejet de ses lois, par le racisme anti-chrétien et aussi anti-juif. Le discours des djihadistes est simpliste. En criant «Allah Akbar», ils annoncent la couleur de leurs actes. On leur a assez dit combien ce pays est «une terre de mécréants, dominés par les juifs et qu'il est du devoir du musulman de le nettoyer». Il n'y a pas autre chose dans la tête de ces individus qui ont été conquis par une propagande efficace et insistante dominée par un antisémitisme de plus en plus virulent.

Faut-il déclarer de nouveau l'État d'urgence? Multiplier le nombre de vigiles et accentuer les recherches? Tout cela est possible, mais ne sert pas à grand-chose. La police et la gendarmerie font leur travail sans relâche. Ce qui doit être fait pour mettre fin à cet éternel retour de la tragédie relève d'une autre stratégie: il faut que la population musulmane s'implique réellement dans la lutte et la prévention du terrorisme qui est commis en son nom, ou du moins au nom d'une religion mal digérée et sciemment détournée. Les musulmans, dans leur diversité, ne peuvent plus se contenter de s'indigner et de condamner ces actes de barbarie. Ils doivent participer à la lutte que mène la République contre le terrorisme. Comment? Il y aurait deux niveaux.

Le premier est déjà en place mais ne fait pas l'objet d'une attention suffisamment soutenue. De plus en plus de jeunes musulmans (croyants ou pas, mais de culture et de sensibilité musulmanes) intègrent les rangs de la police et de la gendarmerie. Il faudrait les y inciter davantage, les motiver, leur donner par là la possibilité de défendre les valeurs de la République en s'engageant dans cette lutte. Le deuxième plan est plus complexe, car il s'agit de convaincre la majorité de la population musulmane d'aider la nation à prévenir les attentats et à les empêcher. Pour cela, il faudrait que la France change la vision qu'elle a de l'islam et des musulmans. Il faudra gagner cette communauté, certes divisée et méfiante, tentée par le repli et le silence. Il faudra qu'elle se sente concernée par cette affaire qui lui porte un tort immense et en même temps assumer un islam sécularisé, compatible avec la laïcité. Comment agir, comment parler, comment s'organiser ? Cela demandera du temps et de l'imagination. Le président de la République pourrait d'abord s'adresser aux musulmans de France, les rassurer, leur tendre la main en vue d'une collaboration qui concerne aussi bien leur avenir que celui de la nation tout entière.

Seule une participation sincère et profonde des musulmans de ce pays est susceptible de donner à la lutte contre le terrorisme au nom de l'islam quelque efficacité. Ce serait aussi une façon de laver l'islam de tout soupçon de complicité avec ces discours haineux et désastreux qui contredisent ses principes et ses valeurs en résonance avec les deux autres monothéismes.

La lutte de l'État de droit contre la barbarie est un combat asymétrique. L'objectif des djihadistes est justement de pousser les démocraties à renoncer au droit et à recourir aux mêmes armes qu'eux. La France résiste, certes, mais elle résisterait mieux encore si les six millions de musulmans qui y vivent acceptaient de participer à la lutte pour faire échec au terrorisme qui mène une guerre silencieuse mais déterminée.

En Italie, la nostalgie mussolinienne n'est pas morte

(Le Point.fr, 3 mars 2017)

Dans la région d'Émilie-Romagne, entre Toscane et Lombardie, à une quinzaine de kilomètres de Ravenne, là où se trouvent les plus belles mosaïques du monde datant du VIe siècle, il y a la petite ville de Forli. C'est là que Dante est enterré. Elle est voisine du haut lieu de la nostalgie pour Benito Mussolini. À un quart d'heure du centre de la ville, dans un petit village niché au-dessus de Predappio, se trouve en effet la maison où est né le père du fascisme italien. Sa tombe n'est pas loin. Un caveau digne d'un empereur ayant la folie des grandeurs. Non seulement toute sa famille y est enterrée, mais de fervents admirateurs du dictateur s'y sont assuré une place, achetée très cher, car, même après leur mort, certains ont voulu perpétuer leur admiration pour le dictateur.

L'entrée du cimetière est matérialisée par trois portes surmontées de trois arcs rappelant la lettre «M». Mais, le plus stupéfiant ce n'est pas la survivance de la nostalgie fasciste, c'est la persistance de la célébration de cette doctrine qu'on croyait morte à jamais.

D'abord, trois magasins vendent des «produits» dérivés du fascisme : la chemise noire, le vin noir, les différents manteaux et casques à l'effigie de Mussolini, les armes, les tee-shirts, les tasses à café, les bols à soupe, les drapeaux dont certains sont frappés de la croix gammée, les jaquettes noires, les casquettes, les affiches, les unes des journaux de l'époque, le calendrier de 2017 avec des photos du leader, et même des pyjamas pour bébé exhibant cette phrase : « Barcollo ma non mollo » (Je ne suis pas stable, mais je tiens bon), une citation du dictateur.

Les boutiques ne désemplissent pas. La vendeuse, âgée d'à peine vingt ans, dit à propos d'une chemise noire brodée à l'effigie de Mussollini : « Nous avons toutes les tailles, c'est un produit qui marche bien. » On croise là des curieux, mais aussi les nostalgiques qui n'ont pas connu cette funeste époque. Benito Mussolini continue de fasciner et d'attirer des adeptes de la force, du fanatisme et du racisme tel qu'il se manifeste aujourd'hui dans une Italie où l'extrême droite, représentée par le parti Lega Nord (La ligue du Nord) et Fratelli d'Italia (Frères d'Italie), carrément néo-fascistes, ne cesse de progresser.

À l'entrée du caveau de la famille Mussolini, un livre d'or où les visiteurs expriment leurs sentiments. Presque tous regrettent la disparition du « grand homme » : « Benito, l'Italie a besoin de toi, reviens ! » ; « Après toi, il n'y a eu que le vide » ; « Honneur de l'Italie », etc.

En discutant avec certains amis italiens, j'ai appris que Donald Trump et Vladimir Poutine jouissent dans certains de ces milieux d'une grande popularité. La force et la brutalité fascinent. On dirait que les Italiens réclament de nouveau un pouvoir fort et non démocratique. Pourtant, l'éloge du fascisme est en principe interdit. Mais le fait que le commerce autour du souvenir de Mussolini marche si bien est un signe. L'Italie connaît une crise politique dont on ne voit pas l'issue. La gauche et la droite traditionnelles sont divisées. Le centre vacille. Reste le parti des «cinq étoiles», dont l'idéologie est populiste et ambiguë. Mais, comme toujours, les affaires continuent dans l'indifférence générale du grand public.

On sent ici le vent d'un retour en force des idéologies totalitaires. L'agent de police qui a réussi à abattre à Milan, le 24 décembre dernier, Anis Amri, le suspect de l'attentat de Berlin, devait être décoré par Angela Merkel. Et voici qu'on a appris qu'il faisait partie de cette extrême droite qui cultive le mythe du fascisme sauveur du pays! Décoration annulée.

La Fondation Alfred Lewin vient de réagir fermement au projet du conseil municipal de Forli-Cesena de rallumer le phare que Mussolini avait fait construire pour que la lumière du fascisme soit vue du plus loin possible (60 km à la ronde!). La Fondation a rappelé que c'est dans cette localité que des juifs furent exécutés et que le résistant Antonio Carini a été torturé et jeté du haut d'un pont.

Ce sont des signes qu'il ne faut pas prendre à la légère. La mouvance populiste et fascisante en Europe n'est pas un fantasme de médias. En Italie, pas plus qu'en France, on ne sait comment empêcher l'émergence d'une extrême droite de plus en plus présente sur le terrain et dans les mentalités.

Table

Dossier
(1998-2018)

Du même auteur

Harrouda
roman
Denoël, 1973, 1977, 1982
et «Folio», n° 1981

La Réclusion solitaire
roman
Denoël, 1976
et «Folio», n° 5923

Les amandiers sont morts de leurs blessures
poèmes
prix de l'Amitié franco-arabe
Maspero, 1976
et «Points», n° P543

La Mémoire future
Anthologie de la nouvelle poésie du Maroc
Maspero, 1976

La Plus Haute des solitudes
Misère affective et sexuelle d'émigrés nord-africains
essai
Seuil, 1977
et «Points», n° P377

Moha le fou, Moha le sage
roman
prix des Bibliothécaires de France
et de Radio Monte-Carlo
Seuil, 1978
et «Points», n° P358

À l'insu du souvenir
poèmes
Maspero, 1980

La Prière de l'absent
roman
Seuil, 1981
et « Points », n° P376

L'Écrivain public
récit
Seuil, 1983
et « Points », n° P428

Hospitalité française
essai
Seuil, 1984, 1997

La Fiancée de l'eau
théâtre
suivi de Entretiens avec M. Saïd Hammadi,
ouvrier algérien
Actes Sud, 1984

L'Enfant de sable
roman
Seuil, 1985
et « Points », n° P7

La Nuit sacrée
roman
prix Goncourt
Seuil, 1987
et « Points », n° P113

Jour de silence à Tanger
récit
Seuil, 1990
et « Points », n° P160

Les Yeux baissés
roman
Seuil, 1991
et « Points », n° P359

Alberto Giacometti
illustré
Flohic, 1991

La Remontée des cendres
suivi de Non identifiés
poèmes
édition bilingue, version arabe de Kadhim Jihad
Seuil, 1991
et « Points Poésie », n° P544

L'Ange aveugle
nouvelles
Seuil, 1992
et « Points », n° P64

L'Homme rompu
roman
Seuil, 1994
et « Points », n° P116

Éloge de l'amitié
Arléa, 1994
et réédition suivie de Ombres de la trahison
« Points », n° P1079

Poésie complète
Seuil, 1995

Le premier amour est toujours le dernier
nouvelles
Seuil, 1995
et « Points », n° P278

Les Raisins de la galère
roman
Fayard, 1996
et « Folio », n° 5824

La Nuit de l'erreur
roman
Seuil, 1997
et « Points », n° P541

Médinas
(photographies de Jean-Marc Tingaud)
Assouline, 1998

L'Auberge des pauvres
roman
Seuil, 1999
et « Points », n° P746

Labyrinthe des sentiments
roman
(dessins de Ernest Pignon-Ernest)
Stock, 1999
et « Points », n° P822

Cette aveuglante absence de lumière
roman
prix international Impac
Seuil, 2001
et « Points », n° P967

L'Islam expliqué aux enfants
(et à leurs parents)
Seuil, 2002, 2012

Les Italiens
(photographies de Bruno Barbey)
La Martinière, 2002

Amours sorcières
nouvelles
Seuil, 2003
et « Points », n° P1173

Le Dernier Ami
roman
Seuil, 2004
et « Points », n° P1310

Maroc : les montagnes du silence
(photographies de Philippe Lafond)
Chêne, 2004

Delacroix au Maroc
(avec des textes de Pédro de Alarcon,
Edmondo de Amicis, Pierre Loti)
Ricci, 2005

Partir
roman
Gallimard, 2006
et « Folio », n° 4525

Giacometti, la rue d'un seul
suivi de Visite fantôme de l'atelier
Gallimard, 2006
et « Folio », 2016

Le Discours du chameau
suivi de Jénine et autres poèmes
Gallimard, 2007

Les Pierres du temps et autres poèmes
« Points Poésie », n° P1709, 2007

L'École perdue
(illustrations de Laurent Corvaisier)
Gallimard Jeunesse,
« Folio Junior », n° 1442, 2007

Sur ma mère
roman
Gallimard, 2008
et « Folio », n° 4923

Au pays
roman
Gallimard, 2009
et « Folio », n° 5145

Marabouts, Maroc
(photographies d'Antonio Cores
et Beatriz del Rio Garcia
dessins de Claudio Bravo)
Gallimard, 2009

Lettre à Delacroix
Gallimard, 2010
et « Folio », n° 5086

Jean Genet : le menteur sublime
récit
Gallimard, 2010
et « Folio », n° 5547

Beckett et Genet, un thé à Tanger
théâtre
Gallimard, 2010

L'Étincelle
Révoltes dans les pays arabes
essai
prix de la paix Erich – Maria – Remarque
Gallimard, 2011

Par le feu
récit
Gallimard, 2011

Au seuil du paradis
essai
Éditions des Busclats, 2012

Que la blessure se ferme
poèmes
Gallimard, 2012

Le Bonheur conjugal
roman
Gallimard, 2012
et « Folio », n° 5688

Lettre à Henri Matisse
et autres écrits sur l'art
Gallimard, 2013
et « Folio », n° 5656

Mes contes de Perrault
Seuil, 2014
et « Points », n° P4195

L'Ablation
récit
Gallimard, 2014

Dana
(en collaboration avec Matthias Frehner)
5 continents éditions, 2015

Le Mariage de plaisir
roman
Gallimard, 2016
et « Folio », n° 6385

Le Terrorisme expliqué à nos enfants
document
Seuil, 2016

Romans
Gallimard, « Quarto », 2017

Un pays sur les nerfs
articles
Éditions de l'Aube, 2017

L'Islam expliqué en images
document
Seuil, 2017

RÉALISATION : NORD COMPO À VILLENEUVE-D'ASCQ
IMPRESSION : NORMANDIE ROTO S.A.S. À LONRAI
DÉPÔT LÉGAL : JANVIER 2021. N° 147204 (2004687)
Imprimé en France